Dental
Implant Failure

임플란트의
실패

예방, 치료
그리고 유지관리

한중석 · 이용무 · 이정원 · 이재현

A Clinical Guide to
Prevention, Treatment, and Maintenance
Therapy

Editors

Thomas G. Wilson Jr.
Stephen Harrel

임플란트의 실패

첫째판 1쇄 인쇄 | 2020년 7월 15일
첫째판 1쇄 발행 | 2020년 7월 31일

지 은 이 Thomas G. Wilson Jr. Stephen Harrel
역   자 한중석, 이용무, 이정원, 이재현
발 행 인 장주연
출 판 기 획 한수인
책 임 편 집 이경은
편집디자인 양란희
표지디자인 김재욱
발 행 처 군자출판사(주)
        등록 제 4-139호(1991. 6. 24)
        (10881) **파주출판단지** 경기도 파주시 회동길 338(서패동 474-1)
        전화 (031) 943-1888   팩스 (031) 943-0209
        www.koonja.co.kr

ISBN 979-11-5955-584-8

정가 70,000원

Dental Implant Failure

임플란트의 실패

KOONJA

목차 c o n t e n t s

dental implant failure

1. 서론   **7**

2. 임플란트 주위 문제의 예방: 환자 선택   **11**

3. 임플란트 주위 문제의 예방: 치료 계획   **27**

4. 임플란트 주위 문제의 예방: 수술적 측면   **39**

5. 임플란트 주위 문제의 예방: 보철적 측면   **51**

6. 임플란트 주위 질환의 병인   **77**

7. 임플란트 환자의 검사   **97**

8. 임플란트 주위 질환의 진단   **109**

9. 교합과 임플란트 주위 질환과의 관계   **119**

10. 임플란트 유지관리를 위한 내원 시의 일반적 절차   **131**

11. 고급 치료법   **145**

12. 미래의 발전 방향   **163**

DENTAL IMPLANT FAILURE

CHAPTER

서론

1

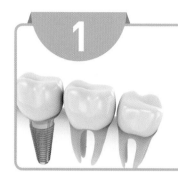

1

서론

Thomas G. Wilson Jr. and Stephen Harrel

1. 도입

임플란트는 실패하기도 한다.

이것은 치과 의사뿐만 아니라 환자에게도 치명적일 수 있다. 이 책에서 제공하는 정보는 임플란트 문제와 실패를 줄이는 데 도움을 주기 위한 목적으로 발간하였다.

이 책은 현재 이용 가능한 문헌과 100년 이상 축적된 임플란트의 임상 경험을 모아 만든 것이다. 여기에 설명된 접근 방식을 사용하는 동안, 새로운 정보들이 나오면 이와 관련된 여러 술식들이 지속적으로 변경될 것이다.

우리는 세부사항에 신경을 쓰면 항상 더 나은 결과로 이어진다는 것을 배웠다. 지름길을 선택한다면 단기간에 적은 비용으로 해결할 수도 있겠지만, 이후 더 많은 장기적인 문제가 발생한다. 임플란트 시스템 선택에도 동일하게 적용된다. 일관된 품질의 제품을 생산하고, 제품 검사 비용을 지불하며, 교체 부품의 재고를 유지 관리하는 임플란트 회사는 그리 많지 않다. 보철 구성 요소와 그 위에 있는 수복물도 마찬가지이다. 임플란트를 제조한 회사에서 만든 부품은 타사에서 제조한 부품보다 더 정확하게 맞는다. 서로 잘 맞지 않은 임플란트 부품은 조기 실패로 이어질 수 있다. 따라서 임플란트를 구성하는 부품을 사용하는 데에 있어 현명하게 선택하여 사용하도록 해야 한다. 세균성 치태 및 이물질은 많은 임플란트 실패와 관련이 있으므로 개인 구강 위생 및 적절한 유지 관리에 중점을 두도록 한다.

이 책은 예방, 병인론 및 관리의 세 부분으로 구성된다. 예방에 관한 부분은 적절한 환자 선택, 치료 계획, 수술 방법 및 적절한 보철 접근법을 강조한다. 임플란트 실패의 원인에 대한 현재까지 알려진 지식은 두 번째 부분에 자세히 설명되어 있다. 세 번째 부분은 임플란트가 일단 식립된 후, 문제가 발생한 임플란트 및 그 구성 요소의 치료를 위해 현재까지 제안된 방법과 함께 향후 문제 발생 가능성을 줄이는 방법에 대해 다루게 된다.

임플란트 주위 골손실에 대한 원인과 치료에 대한 지식은 지난 몇 년 동안 많이 축적되었지만, 여전히 그 지식에는 큰 격차가 있다. 따라서 독자들이 이러한 까다로운 문제에 대한 최신 정보를 얻을 수 있도록 노력하는 것이 중요하다.

2. 정의

2017 World Workshop on the Classification of Periodontal and Peri−implant Diseases and Conditions 에서는 다음과 같은 상태들에 대해서 정의하였다[1].

- 임플란트 주위 건강(Peri−implant health)
- 임플란트 주위 점막염(Peri−implant mucositis)
- 임플란트 주위염(Peri−implantitis)
- 임플란트 주위 연조직과 경조직 결손(Peri−implant soft and hard tissue deficiencies)

임플란트 주위 점막염은 진행성 골 결손이 없으나, 탐침 시 출혈(bleeding on probing) 및 염증의 시각적 징후로 정의된다. 임플란트 주위염은 임플란트 주위 연조직 및 경조직의 염증을 특징으로 하는 지지골의 점진적인 소실로 정의된다(자세한 내용은 8장 참조). 이 합의(consensus)에서는 이 책 전체에서 알 수 있듯이 치태가 임플란트 주위염과 임플란트 주위 점막염의 유일한 병인이며, 다른 요인들은 이 병인의 부수적 또는 중요한 영향을 미치는 요인으로 생각할 수 있다.

3. 요약

이 책은 임플란트 실패 예방, 잠재적인 실패 원인 및 현재 실패한 임플란트의 치료 방법을 검토하여 기술하였다.

Reference

1. Caton JG, Armitage G, Bergludh T, et al. A new classification scheme for periodontal and peri-implant diseases and conditions-

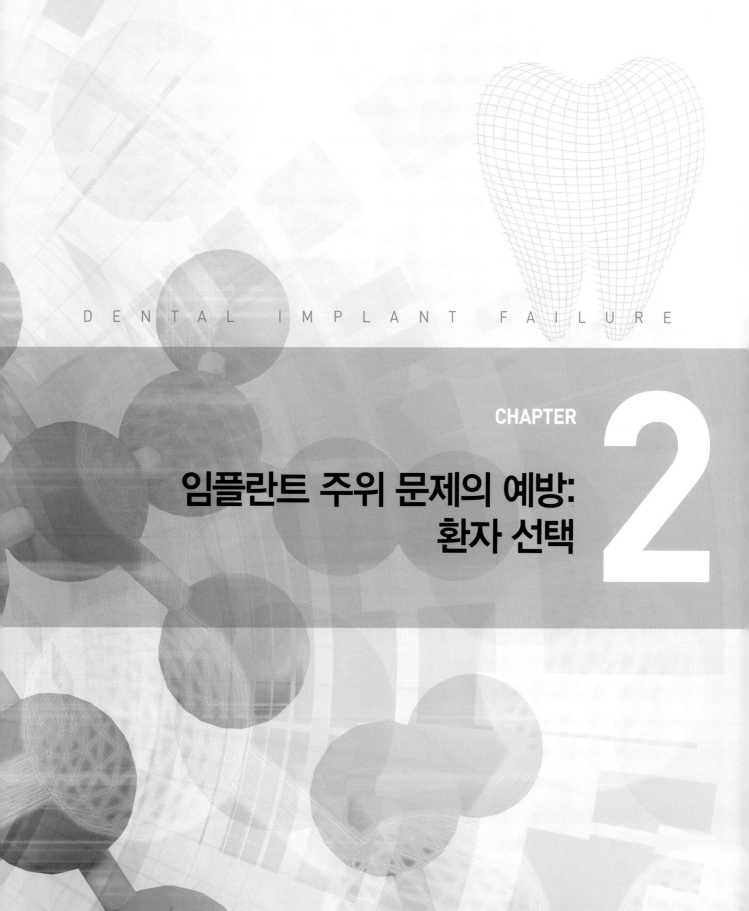

DENTAL IMPLANT FAILURE

CHAPTER

2

임플란트 주위 문제의 예방:
환자 선택

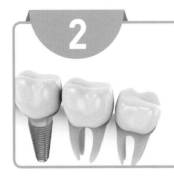

2

임플란트 주위 문제의 예방: 환자 선택

Pilar Valderrama

핵심 정리

- 환자 선택은 치과 임플란트 치료의 성공을 위한 핵심 요소이다.
- 임플란트 치료 환자를 적절히 선택해야만 임플란트 합병증을 예방할 수 있다.
- 환자의 의과력, 치과력을 철저히 조사하고, 위험 요소에 대하여 적절히 평가하도록 하며 이에 대하여 환자와 잘 상의하도록 한다.
- 관리가능한 조건이 해결되고 만성 상태가 조절되어야 한다.
- 임플란트 수술 전에 환자와 이러한 모든 상황을 논의하여 환자를 평가하고 사전 동의를 얻어내는 것은 환자가 지켜야 할 일을 제대로 하지 않았을 때 종종 합병증과 관련되기 때문에 매우 중요하다.

---

1. 환자 선택

치과 임플란트 치료에 대한 일반인들의 인식이 높아지면서 점차 이에 대한 수요가 증가하고 있다. 이러한 치과 임플란트 수복의 높은 예지성을 보고하는 논문들이 많이 발표되면서 치과의사들은 이전보다 더 많은 환자들에게 치과 임플란트 치료를 하고 있다[1]. 치과 임플란트는 이제 완전 무치악 환자와 단일 치아 상실부위에 대한 표준적인 치료법으로 간주되고 있다. 많은 임상가들과 환자들은 예후나 심미성이 나쁜 치아들은 발거하고, 그 부위에 임플란트 지지 보철물로 수복하는 치료 선택을 하고 있다. 동시에 생물학적, 기계적 합병증에 대해 보고가 점차 늘고 있다. 환자를 기준으로 18.5%, 그리고 임플란트를 기준으로 12.8%에서 임플란트 주위염이 발생하는 것으로 추정되고 있다[2]. 따라서 합병증이 발생할 위험이 있는 환자를 식별하는 것이 중요하다.

환자를 처음 검사하고 주소(chief complaint)가 상실된 치아를 수복하는 것과 관련이 있을 경우, 환자가 임플란트 수복에 적합한 후보인지 고려해야 한다.

환자의 요구와 기대에 귀를 기울여야 한다. 환자의 기대와 임플란트 치료를 받을 수 있는 조건에 대한 이해 부족으로 인해 많은 합병증이 나타날 수 있다. 환자가 자신의 특정 요구와 관심사를 표현할 수 있도록 열린 자세로 의사 소통하는 것은 치료 계획의 필수적인 부분이다. 일단 문제가 확인되면 이 상황이 치료 결과에 어떤 영향을 줄 수 있는지 환자에게 교육하는 것이 중요하다. 대부분의 경우 환자는 임플란트에 대해 한 번쯤은 들어 봤지만, 임플란트의 구성 요소와 뼈 및 연조직과의 상호 작용에 대해서 잘 모른다. 치료 계획 및 치료 중에 사용될 용어를 정의하여 환자에게 치료에 대한 정보를 충분히 제공하는 것이 중요하다. 치과 지식(dental IQ)이 높은 환자는 합병증이 발생했을 경우 더 협조적이다. 임플란트 치료를 설명하기 위해 시청각 자료 및 모델을 사용하면 환자가 치료 순서와 절차를 이해하는 데 도움이 된다. 환자가 치과 임플란트가 무엇인지 그리고 그들이 어떻게 작동하는지 이해하고 임플란트 치료를 진행하는 데 관심이 있는 경우, 임플란트 치료의 후보인지 여부를 결정하기 위해 포괄적인 의과력 및 치과력을 작성해야 한다.

2. 의과력

환자와 상담 시 연령 및 성별을 포함한 인구 통계학적 정보를 기록해야 한다. 성별을 살펴볼 때, 여성보다는 남성에게 식립된 임플란트의 실패 위험이 약간 높다[3]. 환자의 성별 자체가 임플란트의 실패 또는 합병증 위험에 차이를 보이지는 않아 보인다. 그러나 미국 치주 학회(AAP)와 미국 질병 통제 센터(CDC)는 여성보다 남성에서 치주염의 비율이 더 높았다고 보고하고 있고, 치주염 병력은 임플란트 주위염의 위험을 높이기 때문에 이러한 점에서 성별과의 연관성을 설명할 수 있다[4].

임플란트 식립 시 환자의 나이를 고려해야 한다. 연령에 대한 상한선은 없는 것으로 보이나, 상악 및 하악의 성장이 완료되기 전에 조기에 식립된 임플란트가 비심미적 결과를 초래할 수 있다는 보고가 있다. 예를 들어, 일반적으로 외배엽 형성이상(ectodermal dysplasia) 또는 치아 무발생(tooth agenesis)에 이환된 환자에서 임플란트가 조기에 식립되는 사례를 들 수 있다. 2009년에 발표된 리뷰 논문을 살펴보면, 임플란트 생존율은 외배엽 형성이상 환자에서 88.5%에서 97.6% 사이로 다양하게 나타난다[5]. 구강 건조증을 나타나는 땀저하외배엽형성이상증(hypohidrotic ectodermal dysplasia) 환자는 돌연변이 유전자가 구조적, 직접적으로 골에 영향을 주어 골유착을 저하시키고[6], 임플란트 주위염에 이환되기 쉽다.

다음 단계는 환자의 병력을 철저히 얻도록 한다. 전신 상태는 구강 내 연조직 및 경조직의 치유에 영향을 미칠 수 있는 것으로 알려져 있다. 일부 전신 질환은 치주 질환의 위험 증가와 관련이 있어 임플란트 주위염에 영향을 줄 수 있다. 따라서 이와 관련한 질문을 철저하게 실시해야 한다. 알려진 위험 요인에는 당뇨병과 흡연이 있다. 당뇨병이 있는 환자는 비당뇨병 환자에 비해 임플란트 주위염이 발생할 가능성이 거의 2배가 된다. 고혈당증 환자는 정상인과 비교하여 임플란트 주위염 위험이 3.39 배 더 높다[7]. 당뇨병이 제대로 조절되지 않은 환자들은 골유착에 실패하고 임플란트 주위염의 위험이 증가하며 임플란트 실패도 더 높게 나타난다. 그러나 당뇨병이 조절될 때, 임플란트 시술은 안전하고, 건강한 환자와 유사한 합병증 비율로 나타난다[8]. 잘 조절되지 않는 제 2형 당뇨병은 임플란트 주위 치주낭 및 방사선학적 변연골 소실이 증가하는 것으로 나타났다[9].

몇몇 연구에서 심혈관 질환이 임플란트 생존에 미치는 영향을 보고하였다. 치주 질환을 가진 환자는 심혈관 질환의 유병률이 높고 심혈관 질환 및 치주염의 병력으로 표현되는 동반 질환의 가능성과 관련이 있다는 사실과 관련하여, 심혈관 질환이 교란 변수가 될 수 있음을 보고 하고 있다[10].

최근 새롭게 알려지고 있는 위험 요소로 류마티스 질환(rheumatic disorders)이 알려져 있다. 전향적 연구에서 류마티스 관절염(rheumatoid arthritis) 환자에게 식립된 임플란트는 치료 후 3.5년에 93.8%의 성공률을 보여주었다. 같은 연구에서 류마티스 관절염 및 이에 동반된 결합조직 질환을 가진 환자는 골 흡수가 증가하고 탐침 후 출혈이 증가하였다[11]. 임플란트 주위 연조직 상태가 취약한 환자는 합병증을 피하기 위해서는 적절한 구강 위생을 포함한 엄격한 유지 관리 프로그램을 시행해야 한다[12]. 몇몇 문헌에 따르면 임플란트의 성공률은 쇼그렌(Sjögren) 환자의 경우 86.33%, 외배엽 형성이상(ectodermal dysplasia) 환자의 경우 37%에서 100%, 물집표피박리증(epidermolysis bullosa) 환자의 경우 75%에서 100%, 그리고 구강편평태선(oral lichen planus) 환자에서는 100%로 보고되고 있다[13]. 또 다른 체계적 고찰 문헌에서는 최대 5년까지의 장기 관찰 시 구강편평태선 환자의 임플란트 생존율이 95.3%였다. 물집표피박리증 환자의 3년 후 생존율은 98.5%였다. 일반적으로 보고된 임플란트 생존율은 이러한 전신질환이 없는 환자의 임플란트 생존율과 비슷하였다[14].

골다공증이 임플란트 생존에 미치는 영향에 대하여 광범위하게 조사되었으나 결론을 내리지 못했다. 단면 연구에 따르면 골다공증 및 골감소증은 흡연 습관과 관련이 없는 한 임플란트 실패 위험을 증가시키지 않는 것으로 나타났다[15]. 비스포스포네이트(bisphosphonate)와 같은 골흡수 억제제를 사용하면 잠재적으로 임플란트 수술 후 골 치유 및 골융합 자체에 영향을 줄 수 있다. 비스포스포네이트를 복용한 환자의 경우 임플란트 실패의 위험이 약간 증가하지만(1.5%), 이러한 환자에 대해 보고된 문헌이 부족하기 때문에 명확한 결론을 내리기 어렵다[16]. 체계적 고찰 문헌에 따르면 임플란트 수술 전 1-4년 동안 경구용 비스포스포네이트를 복용 한 환자의 경우 3년 추적 관찰 기간 동안 골괴사가 발생하지 않았고, 골융합은 약물의 영향을 받지 않았으며, 임플란트 생존율은 95%에서 100% 사이로 나타났다. 발표된 가이드라인을 살펴보면, 암 치료를 위해 정맥 내 비스포스포네이트를 투여 받은 환자에 대해서는 임플란트가 금기라는 합의가 있다[17]. 그러나, 비스포스포네이트 관련 악골 골괴사(BRONJ)의 19가지 사례를 보고 한 문헌에 따르면, 비스포스포네이트 투여 후 임플란트 주위에 골괴사가 발생할 수 있음을 보여 주었다. 부골 형성(en bloc bone sequestraction)은 BRONJ의 특성 중 하나 일 수 있으며, 임플란트 주위염으로 인한 골 파괴와는 다르다. 그 논문의 저자들은 이러한 유형의 골 파괴에서 골 미세 균열의 역할을 연구할 필요가 있다고 권고했다[18]. 면역계에 영향을 미치고, 혈액학적 상태 및 면역 결핍에 의한 공격적인 치주염 위험이 있는 전신 상태도 고려해야 한다. 위험인자가 잘 조절되고, 정상적인 CD4+세포 수를 갖는 HIV 양성 환자의 경우, 4년 관찰 시 임플란트 성공률은 94.7%였고, 임플란트 수준에서는 94.53%로 보고되었다[19]. 예방적 항생제 투여, 고활성 항 레트로 바이러스 제제의 투여 및 CD4+T 림프구 수의 조절은 임플란트 합병증을 피하기 위하여 중요한 요소로 보인다[20]. 그러나, 환자의 HIV 상태와 관련하여 침습적 치과 치료로 인한 위험성의 증가에 대한 과학적 증거가 제한되어 있다는 점을 고려하는 것 또한 중요하다[21].

모든 의료 시스템 및 가족력에 대한 검사를 포함한 설문지를 잘 작성해야 한다. 흡연과 이갈이(Bruxism)와 같은 습관은 임플란트 실패와 관련이 있기 때문에 사회력과 환자의 습관을 문서화해야 한다. 자료에 따르면 임플란트 식립 전후에 흡연하는 사람은 비흡연자에 비해 치과 임플란트 실패의 위험이 35 - 70% 더 높다. 그러나 이전 흡연자와 비흡연자 성공률을 비교할 때 통계적으로 유의미한 차이가 없어 흡연 중단 프로토콜이 임플란트 성공에 도움이 될 수 있음을 나타낸다[22]. 물담배나 전자담배는 모두 니코틴이 함유되어 있다. 물담배는 치주염, 건조와, 전암 병소, 구강암 및 식도암과 관련이 있다. 전자담배를 장기적으로 사용한 경우 임플란트 주위 건강에 미치는 영향은 알려져 있지 않다[23].

약물의 전체 목록도 얻어야 한다. 환자의 추형공포증(dysmorphophobia) 또는 기타 유사한 질병과 같은 정신과적 상태를 기록하고, 새로운 보철물에 적응하는 능력을 방해할 경우 정신과 상담을 시작해야 한다. 환자가 의학적 치료를 받고 있는 경우, 치료 의사 정보를 얻도록 하며 필요한 경우 의학적 상담을 요청할 수 있다.

의료 시스템에 대한 검토도 이루어져야 한다. 나열된 모든 조건에 대해 기간과 심각도를 문서화해야 한다. 필요한 경우 혈액 검사 등을 시행할 수 있다. 시스템을 검토하면 진단되지 않은 의학적 상태의 가능한 징후와 증상을 식별하는 데 도움이 될 수 있다. 인공 관절(prosthetic joint) 수술 병력이 있는 환자의 경우, 그 분야의 전문의들이 권장하는 예방적 항생제 지침을 알고, 상담을 시작해야 한다. 이것은 과거 의료 보철물이 실패하거나 이식된 병력이 있는 환자에게 특히 중요하다. 티타늄 표면의 부식 및 임플란트 주위 골 소실에서 발견되는 상태와 정형 외과 관절 부전과의 유사성이 발견되었으므로, 정형 외과 의사와 상담하여 실패의 원인에 대해 문의하는 것이 좋다.

암을 치료하기 위하여 방사선 치료를 받는 환자의 경우 총 방사선 량, 방사선의 치료를 받은 부위 및 화학 요법의 병용 등을 기록해야 한다. 55 그레이(Gray)보다 높은 방사선량은 임플란트 생존을 크게 감소시킨다[24]. 방사선이 조사된 골에 식립된 임플란트의 생존율은 약 84%이며; 방사선이 조사된 적이 없는 골에 식립된 임플란트와 비교할 때 현저히 더 낮다. 임플란트의 합병증을 줄이기 위해 자주 엄격한 모니터링 및 체크하는 것이 권장된다[25]. 그러나 암 치료의 유형과 암 이후 재건 수술에서 골 이식편의 사용은 임플란트 생존에 영향을 미치지 않는 것으로 보인다[26]. 임플란트 수술과 관련하여 이러한 항암 요법의 타이밍을 고려해야 한다. 일반적으로 임플란트를 식립한 후 방사선이 조사 될 때 성공률(92%)이 더 높으며 상악보다 하악의 성공률이 높다[24]. 임플란트가 식립된 골의 절제가 필요한 종양의 재발과 관련한 위험도 있다[26]. 일부 문헌에서는 임플란트 성공에 있어서 방사선 조사와 임플란트가 식립된 시기와의 사이에 연관성이 없음을 시사하지만 이들 문헌에 보고된 두 시기 사이의 간격은 6개월에서 15개월이었고, 성공률도

62%에서 100% 사이로 다양했다[27]. 암 수술 후 재건에 사용되는 골 이식편의 유형은 생존과 관련될 수 있다. 이식편이 혈관화되면(원래의 혈액 공급을 유지)(89%), 비혈관화뼈이식(nonvascularized bone grafts)(81%)보다 생존율이 더 높다. 이식 후 즉시 임플란트를 식립하면 식립 위치가 적절하지 못하여 실패하거나 보철 수복되지 못할 가능성이 높다[28]. 화학요법은 임플란트 주위염의 위험성과 관련이 없는 것으로 보이지만, 발표된 연구는 적다[29].

환자가 과거 구강편평상피세포암종(oral squamous cell carcinoma) 병력이 있는 경우, 임플란트 주위에서 국한성(isolated) 구강편평상피세포암종 증례가 보고되었다는 사실을 고려할 필요가 있다. 문헌에 따르면, 임플란트와 구강편평상피암종의 발달 사이에서 원인-결과 관계를 확립하기 어렵다. 그러나 구강편평상피암종은 무감각(anesthesia) 혹은 감각 이상(paresthesia)이 나타날 수도 있는데, 임플란트 주위염과 혼동될 수 있으므로, 갑작스런 임플란트 주위 염증성 병변이 기본적인 염증 치료에 반응하지 않는 경우 생검을 받아야 한다[30]. 임플란트 주위 악성 종양은 구강암 증례의 1.5%까지 차지하기도 한다. 편평세포암종(85%), 기저세포암종(basal cell carcinoma) 및 전이 암종(carcinoma of metastatic origin)이 문헌에 보고되고 있다. 위험 요인에는 구강암 병력, 잠재적 악성 상태 및 흡연이 포함된다[31].

파킨슨 병(Parkinson's disease), 다발성 경화증(multiple sclerosis), 근육위축가쪽경화증(amyotrophic lateral sclerosis), 떨림(tremors) 또는 환자의 적절한 구강 위생 수행 능력에 영향을 미치는 기타 상태와 같은 신경계 장애를 기록하도록 한다. 치매(dementia.), 파킨슨 병 및 헌팅턴병(Huntington's disease) 을 포함한 신경 퇴행성 질환(neurodegenerative disease) 환자에 식립된 치과 임플란트에 대한 증례 보고서는 임플란트가 이러한 환자의 삶의 질을 향상시킬 수 있음을 보여주었다. 이 경우 저자들은 구강 위생을 위한 접근을 용이하게 하기 위해 최소한의 임플란트를 사용하는 것이 좋다고 하였고, 임플란트 지지 가철성 보철물을 이용하는 것이 이상적이라고 하였다[32].

드물기는 하지만, 치과 임플란트 및 보철 구성 요소 제작에 사용되는 화학 성분에 대한 알레르기 반응에 대해 조사해야 한다. 임상적으로 티타늄에 대한 알레르기 및 부작용에 관한 보고는 거의 발표되지 않았다[33]. 그러나 여러 연구에서 티타늄 함유 물질로 인한 금속 알레르기 사례가 보고되었다. 임플란트 시술 전 환자에게 금속에 대한 과민 반응의 이력을 문의하고 그러한 반응을 경험한 환자의 경우 알레르기 패치 검사를 수행해야 한다. 티타늄 알레르기 진단은 여전히 임상 평가에 기초하고 있다[34].

3. 치과력

종합적인 치과력을 작성하고 검토하는 것이 필요하다. 환자의 주소(chief complaint)에 계속 초점을 맞추면서, 치과력은 이전 치과 치료가 환자에게 어떻게 작용했으며 환자가 유지 관리를 준수했는지에 대한 정보를 제공한다. 환자의 기대치를 낮추는 것이 필요한 것이 아니라, 달성 가능한 목표에 대해 현실적이어야 한다. 첫째, 가능한 경우 치아 상실의 원인을 확인하는 것이 중요하다. 치주 질환으로 치아를 상실한 경우, 치주 질환으로 진단된 기간과 환자가 받은 치료 유형 및 유지치주치료 방문 횟수 및 마지막 약속 날짜를 파악하는 것이 중요하다. 치주염이 없는 환자와 비교했을 때, 치주 질환 병력이 있는 경우 임플란트 상실, 심한 골소실 및 임플란트 주위염의 위험이 증가한다[35]. 활동성 치주 질환 환자에게 임플란트가 식립될 경우, 수술 후 감염의 발생에 중대한 위험이 있다[36]. 공격적인 치주염 병력이 있는 환자의 경우, 치주적으로 건강한 환자나 만성 치주염을 가진 환자와 비교했을 때, 실패 위험률이 상당히 높다[37]. 건강한 환자(100%)와 비교하여 3년 추적 관찰(97.98%)에서 더 많은 골소실과 현저히 낮은 생존율이 보고되었다[38]. 장기간(16년) 치주질환이 관찰된 경우 임플란트 성공률(96%), 임플란트주위 점막염 발병률(56%) 및 임플란트 주위염 발병률(26%)이 높게 나타났다[39]. 그러나 임플란트 식립 전 치주염을 성공적으로 치료하면 임플란트 주위염의 위험이 줄어든다[22].

칫솔질과 더불어 치실 또는 치간 칫솔, 치간 세정기 등의 기타 보조기구을 잘 사용하여 구강위생 습관을 잘 지켜야 한다. 임플란트 주위 치태가 축적되면 임플란트 주위 점막염 및 임플란트 주위 골소실을 유발시킬 수 있다. 임플란트 주위염이 있는 임플란트의 거의 50%가 적절한 구강 위생을 위한 접근성이나 능력이 떨어지는 것으로 밝혀졌다[22]. 동물과 인간에 대한 연구에 근거한 과학적 결과에 따르면, 임플란트 주위에 바이오필름(biofilm)의 축적이 이루어지면 치아에서 나타나는 것보다 더 높은 출혈이 나타난다[40]. 임플란트 주위염 관련 바이오필름의 미생물은 혼합된 조성으로 되어 있고, 비특이적이며 치주염의 미생물 조성과 매우 유사하다[41]. 따라서, 치주관리가 부족하거나 이에 대한 순응도가 떨어지는 경우 점막 출혈, 더 깊은 임플란트 주위낭, 치조골 소실 및 더 높은 임플란트 상실을 초래한다[42]. 치주염과 비교할 때, 임플란트 주위염은 더 빠르게 진행되어 더 많은 염증성 침윤 및 조직 파괴를 보인다[41]. 따라서, 정기적인 감염 방지 프로토콜을 준수하는 환자는 생물학적 합병증을 관리하고 임플란트 상실을 예방하는 데 효과적인 것으로 나타났다[43]. 또한, 보철 크라운에 마모면(wear facets)이 발견되면 이갈이(bruxism)와 2.4배 연관되어 있으므로 이러한 것들이 관리되어야 한다. 불소가 티타늄 부식과 관련되어 있기 때문에 구강 린스, 치약 또는 불소가 함유된 젤의 사용을 기록하도록 한다. 완전 무치악 환자의 경우, 환자가 얼마나 오랜 기간 무치악 상태였는지, 어떤 유형의 보철물이 사용되었으며 얼마나 오래 사용되는지를 파악하는 것이 중요하다. 이것은 잔존 치조제(residual ridges)의 모양과 골 흡수량에 영향을 준다. 외상의 병력이 있는 경우, 잔존골의 변형은 수복 치료들을 제한할 수 있다. 근관치료의 합병증이나 치근단 병소로 인하여 치아를 상실하는 경우, 치근단 병소의 생검을 했는지, 진단은 무엇인지, 그리고 발치 시점에서 골이식이 시행되었는지 여부를 알아야 한다.

완전 의치를 사용하거나 완전 무치악 상태였던 환자의 경우, 임플란트 주위염의 위험이 더 낮은 것 같다. 완전 무치악 상태였던 환자의 임플란트 주위염 전체 유병률은 임플란트 식립 후 5년, 10년째에 각각 0%, 5.8%이었고, 부분 무치악 상태였던 환자들의 경우에는 각각 3.4%, 16.9%로 나타났다. 역설적으로, 완전 무치악 환자는 임플란트에 치태가 많았고 부분적으로 무치악 환자보다 출혈이 유의하게 높았지만 임플란트 주위낭은 더 깊지 않았다[45]. 이것은 부분적으로 무치악 환자가 완전 무치악보다 잠재적으로 임플란트 주위에 더 많은 병원성 미생물을 보유한다는 사실로 설명할 수 있다. 따라서 치태의 질은 양보다 더 중요한 것으로 보인다[46].

4. 요약

임플란트를 식립하기 전에 의과 및 치과 병력을 조사하는 것은 필수적이다. 여러 조건이 임란트 치료의 장기적 결과에 영향을 줄 수 있으며, 일부 조건은 임플란트 실패 또는 상실에 영향을 줄 수 있다. 임플란트 치료의 성공에 영향을 미칠 수 있는 모든 요인에 대해 환자에게 문의하고, 임플란트의 잠재적 위험에 대해 충분히 알리도록 하여 이에 따른 동의를 받을 수 있다.

Reference

1. Zhang S, Wang S, Song Y. Immediate loading for implant restoration compared with early or conventional loading: a meta-analysis. J Craniomaxillofac Surg. 2017;45(6):793-803.

2. Rakic M, Galindo-Moreno P, Monje A, Radovanovic S, Wang HL, Cochran D, et al. How frequent does peri-implantitis occur? A systematic review and meta-

analysis. Clin Oral Investig. 2018;22(4):1805–16.

3. Chrcanovic BR, Albrektsson T, Wennerberg A. Dental implants inserted in male versus female patients: a systematic review and meta-analysis. J Oral Rehabil. 2015;42(9):709–22.

4. Eke PI, Dye BA, Wei L, Thornton-Evans GO, Genco RJ. Prevalence of periodontitis in adults in the United States: 2009 and 2010. J Dent Res. 2012;91(10):914–20.

5. Yap AK, Klineberg I. Dental implants in patients with ectodermal dysplasia and tooth agenesis: a critical review of the literature. Int J Prosthodont. 2009;22(3):268–76.

6. Bergendal B. Oligodontia ectodermal dysplasia–on signs, symptoms, genetics, and outcomes of dental treatment. Swed Dent J Suppl. 2010;2010(205):13–78, 7–8.

7. Monje A, Catena A, Borgnakke WS. Association between diabetes mellitus/hyperglycaemia and peri-implant diseases: systematic review and meta-analysis. J Clin Periodontol. 2017;44(6):636–48.

8. Naujokat H, Kunzendorf B, Wiltfang J. Dental implants and diabetes mellitus-a systematic review. Int J Implant Dent. 2016;2(1):5.

9. Turri A, Rossetti PH, Canullo L, Grusovin MG, Dahlin C. Prevalence of peri-implantitis in medically compromised patients and smokers: a systematic review. Int J Oral Maxillofac Implants. 2016;31(1):111–8.

10. Guobis Z, Pacauskiene I, Astramskaite I. General diseases influence on peri-implantitis development: a systematic review. J Oral Maxillofac Res. 2016;7(3):e5.

11. Krennmair G, Seemann R, Piehslinger E. Dental implants in patients with rheumatoid arthritis: clinical outcome and peri-implant findings. J Clin Periodontol. 2010;37(10):928–36.

12. Weinlander M, Krennmair G, Piehslinger E. Implant prosthodontic rehabilitation of patients with rheumatic disorders: a case series report. Int J Prosthodont. 2010;23(1):22–8.

13. Candel-Marti ME, Ata-Ali J, Penarrocha-Oltra D, Penarrocha-Diago M, Bagan JV. Dental implants in patients with oral mucosal alterations: an update. Med Oral Patol Oral Cir Bucal. 2011;16(6):e787–93.

14. Reichart PA, Schmidt-Westhausen AM, Khongkhunthian P, Strietzel FP. Dental implants in patients with oral mucosal diseases - a systematic review. J Oral Rehabil. 2016;43(5):388–99.

15. Holahan CM, Koka S, Kennel KA, Weaver AL, Assad DA, Regennitter FJ, et al. Effect of osteoporotic status on the survival of titanium dental implants. Int J Oral Maxillofac Implants. 2008;23(5):905–10.

16. Chrcanovic BR, Albrektsson T, Wennerberg A. Bisphosphonates and dental implants: a meta-analysis. Quintessence Int. 2016;47(4):329–42.

17. Madrid C, Sanz M. What impact do systemically administrated bisphosphonates have on oral implant therapy? A systematic review. Clin Oral Implants Res. 2009;20(Suppl 4):87–95.

18. Kwon TG, Lee CO, Park JW, Choi SY, Rijal G, Shin HI. Osteonecrosis associated with dental implants in patients undergoing bisphosphonate treatment. Clin Oral Implants Res. 2014;25(5):632–40.

19. Lemos CAA, Verri FR, Cruz RS, Santiago Junior JF, Faverani LP, Pellizzer EP. Survival of dental implants placed in HIV-positive patients: a systematic review. Int J Oral Maxillofac Surg. 2018;47(10):1336–42.

20. Ata-Ali J, Ata-Ali F, Di-Benedetto N, Bagan L, Bagan JV. Does HIV infection have an impact upon dental implant osseointegration? A systematic review. Med Oral Patol Oral Cir Bucal. 2015;20(3):e347–56.

21. Patton LL, Shugars DA, Bonito AJ. A systematic review of complication risks for HIV-positive patients undergoing invasive dental procedures. J Am Dent Assoc. 2002;133(2):195–203.

22. Renvert S, Quirynen M. Risk indicators for peri-implantitis. A narrative review. Clin Oral Implants Res. 2015;26(Suppl 11):15–44.

23. Ramoa CP, Eissenberg T, Sahingur SE. Increasing popularity of waterpipe tobacco smoking and electronic cigarette use: implications for oral healthcare. J Periodontal Res. 2017;52(5):813–23.

24. Nooh N. Dental implant survival in irradiated oral cancer patients: a systematic review of the literature. Int J Oral Maxillofac Implants. 2013;28(5):1233–42.

25. Smith Nobrega A, Santiago JF Jr, de Faria Almeida DA, Dos Santos DM, Pellizzer EP, Goiato MC. Irradiated patients and survival rate of dental implants: a systematic review and meta-analysis. J Prosthet Dent. 2016;116(6):858–66.

26. Linsen SS, Martini M, Stark H. Long-term results of endosteal implants following radical oral cancer surgery with and without adjuvant radiation therapy. Clin Implant Dent Relat Res. 2012;14(2):250–8.

27. Zen Filho EV, Tolentino Ede S, Santos PS. Viability of dental implants in head and neck irradiated patients: a systematic review. Head Neck. 2016;38(Suppl 1):E2229–40.

28. Fenlon MR, Lyons A, Farrell S, Bavisha K, Banerjee A, Palmer RM. Factors affecting survival and usefulness of implants placed in vascularized free composite grafts used in post-head and neck cancer reconstruction. Clin Implant Dent Relat Res. 2012;14(2):266–72.

29. Chrcanovic BR, Albrektsson T, Wennerberg A. Dental implants in patients receiving chemotherapy: a meta-analysis. Implant Dent. 2016;25(2):261–71.

30. Salgado-Peralvo AO, Arriba-Fuente L, Mateos-Moreno MV, Salgado-Garcia A. Is

there an association between dental implants and squamous cell carcinoma? Br Dent J. 2016;221(10): 645–9.

31. Kaplan I, Zeevi I, Tal H, Rosenfeld E, Chaushu G. Clinicopathologic evaluation of malignancy adjacent to dental implants. Oral Surg Oral Med Oral Pathol Oral Radiol. 2017;123(1):103–12.

32. Faggion CM Jr. Critical appraisal of evidence supporting the placement of dental implants in patients with neurodegenerative diseases. Gerodontology. 2016;33(1):2–10.

33. Fage SW, Muris J, Jakobsen SS, Thyssen JP. Titanium: a review on exposure, release, penetration, allergy, epidemiology, and clinical reactivity. Contact Dermatitis. 2016;74(6):323–45.

34. Hosoki M, Nishigawa K, Miyamoto Y, Ohe G, Matsuka Y. Allergic contact dermatitis caused by titanium screws and dental implants. J Prosthodont Res. 2016;60(3):213–9.

35. Sgolastra F, Petrucci A, Severino M, Gatto R, Monaco A. Periodontitis, implant loss and peri-implantitis. A meta-analysis. Clin Oral Implants Res. 2015;26(4):e8–16.

36. Chrcanovic BR, Albrektsson T, Wennerberg A. Periodontally compromised vs. periodontally healthy patients and dental implants: a systematic review and meta-analysis. J Dent. 2014;42(12):1509–27.

37. Monje A, Alcoforado G, Padial-Molina M, Suarez F, Lin GH, Wang HL. Generalized aggressive periodontitis as a risk factor for dental implant failure: a systematic review and meta-analysis. J Periodontol. 2014;85(10):1398–407.

38. Theodoridis C, Grigoriadis A, Menexes G, Vouros I. Outcomes of implant therapy in patients with a history of aggressive periodontitis. A systematic review and meta-analysis. Clin Oral Investig. 2017;21(2):485–503.

39. Swierkot K, Lottholz P, Flores-de-Jacoby L, Mengel R. Mucositis, peri-implantitis, implant success, and survival of implants in patients with treated generalized aggressive periodontitis: 3- to 16-year results of a prospective long-term cohort study. J Periodontol. 2012;83(10):1213–25.

40. Salvi GE, Cosgarea R, Sculean A. Prevalence and mechanisms of peri-implant diseases. J Dent Res. 2017;96(1):31–7.

41. Belibasakis GN. Microbiological and immuno-pathological aspects of peri-implant diseases. Arch Oral Biol. 2014;59(1):66–72.

42. Ramanauskaite A, Tervonen T. The efficacy of supportive peri-implant therapies in preventing peri-Implantitis and implant loss: a systematic review of the literature. J Oral Maxillofac Res. 2016;7(3):e12.

43. Salvi GE, Zitzmann NU. The effects of anti-infective preventive measures on the occurrence of biologic implant complications and implant loss: a systematic review. Int J Oral Maxillofac Implants. 2014;29(Suppl):292–307.

44. Dalago HR, Schuldt Filho G, Rodrigues MA, Renvert S, Bianchini MA. Risk indicators for peri-implantitis. a cross-sectional study with 916 implants. Clin Oral Implants Res. 2017;28(2):144–50.

45. de Waal YC, van Winkelhoff AJ, Meijer HJ, Raghoebar GM, Winkel EG. Differences in peri-implant conditions between fully and partially edentulous subjects: a systematic review. J Clin Periodontol. 2013;40(3):266–86.

46. de Waal YC, Winkel EG, Meijer HJ, Raghoebar GM, van Winkelhoff AJ. Differences in peri-implant microflora between fully and partially edentulous patients: a systematic review. J Periodontol. 2014;85(1):68–82.

CHAPTER

3

임플란트 주위 문제의 예방: 치료 계획

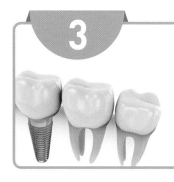

3

임플란트 주위 문제의 예방: 치료 계획

Jeffrey Pope / Private Practice of Periodontics, Dallas, TX, USA

핵심 정리

- 임플란트 주변 문제를 관리하는 가장 좋은 방법은 처음부터 문제의 발생을 방지하는 것이다.
- 임플란트 주변의 문제 중 상당수는 치료 계획이 잘못되어 발생하는 것이다.
- 임플란트 식립부의 평가는 치료 계획 프로세스에서 중요한 단계이다.
- 적절한 방사선 사진, 진단 모형 및 경조직 및 연조직 평가가 필요하다.

1. 서론

임플란트 주변 문제를 관리하는 가장 좋은 방법은 처음부터 문제의 발생을 피하는 것이다. 임플란트 주변의 대부분의 문제는 치료 계획이 좋지 않거나 케이스 선택이 잘못되어 발생할 수 있다. 적절한 골, 적절한 부착 조직, 적절한 식립 각도, 적절한 위치 및 수복 재료에 대한 적절한 계획이 있는지 확인하는 것이 임플란트의 성공에 중요하다. 적절하게 치료 계획을 세우지 않으면 임플란트가 실패할 가능성이 높아진다.

임플란트 수복을 적절히 계획하기 위해서는 여러 가지 진단 정보가 필요하다. 단계를 건너 뛰면 임플란트 수술 시 또는 보철 수복 시에 합병증이 발생할 수 있

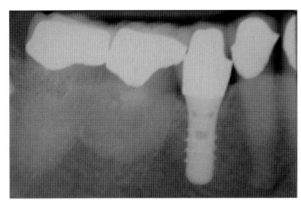

그림 3-1 적절한 각도의 치근단 방사선 사진

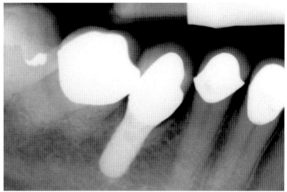

그림 3-2 부적절한 각도의 치근단 방사선 사진

다. 임플란트 환자의 종합적인 치료에는 환자의 전신 건강(2 장), 치열, 교합, 측두
하악 관절 및 구강 연조직에 대한 평가를 포함한 종합적인 평가를 해야 한다. 치
료 계획을 마무리하기 전에 일련의 방사선 사진(치근단 방사선 사진, 파노라마 방사선 사
진, 컴퓨터 단층 촬영 스캔), 진단 모형 및 임상 사진을 얻는 것이 중요하다.

임플란트 치료 계획의 가장 중요한 것 중 하나는 양질의 진단 방사선 사진이다.
치근단 방사선 사진은 치근-치관 방향 및 근원심 방향으로 2차원적으로 골을 평
가하는 데 적합하다. 치근단 방사선 사진은 종종 임플란트 수술 중에도 드릴링이
나 임플란트 위치가 적절한지 평가하기 위하여 사용된다. 임플란트 부위의 정확
한 계측을 위해서는 방사선 사진을 치아와 임플란트에 수직으로 촬영하는 것이
가장 중요하다(그림 3-1). 각도가 낮은 방사선 사진은 단축 또는 신장되어 임상의에
게 잘못된 계측 정보를 줄 수 있으며 그로 인해 인접 해부학적 구조나 신경에 손
상을 주게 될 수 있다(그림 3-2).

치근단 방사선 사진 외에도 파노라마 방사선 사진을 사용하면 임상의는 하치조
신경관, 이공, 상악동 등의 해부학적 구조물들의 대략적 위치를 식별할 수 있다(그
림 3-3). 파노라마 이미지를 사용하면 술자가 인접한 치아와 해부학적 구조물들을
파악할 수 있지만 파노라마 방사선 사진은 최대 25 %까지 왜곡될 수 있음을 기억
해야 한다[1]. 이러한 이유로 임플란트 부위에 대한 추가적 평가가 필요한 경우 콘

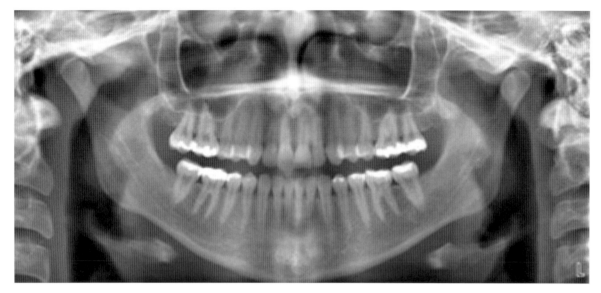

그림 3-3 파노라마 방사선 사진

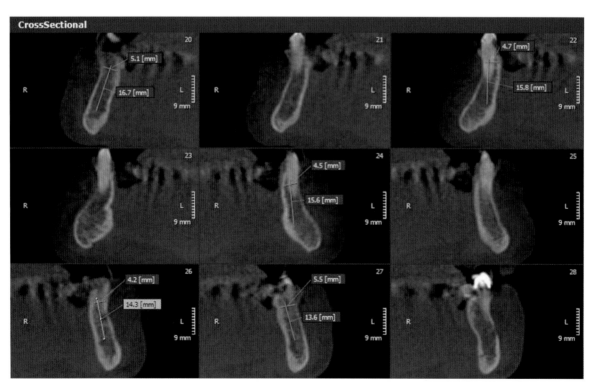

그림 3-4 CBCT 사진

빔 컴퓨터 단층 촬영(CBCT)이 더 적합하다(그림 3-4). 임플란트를 전치부에 식립하거나 상악동이나 이공과 근접한 영역에 식립할 경우에는 임플란트 부위 평가를 위해 CBCT를 촬영하는 것이 좋다. 임상적 검사와 종래형의 2차원 방사선 촬영이 임플란트 부위 평가에 적합하다고 않다고 생각되는 다른 부위는 하악 제2대구치 영역이다. 하치조 신경과의 근접성 및 설측 언더컷 때문이다. 디지털 치의학의 발전으로 인해 CBCT는 수술 시 치과 의사가 임플란트를 올바르게 배치할 수 있도록 수술 가이드를 계획하고 개발하는 것에도 사용될 수 있다(4장 참조).

진단 모형과 임상사진은 임플란트 부위 평가 프로세스의 중요한 구성 요소이다. 진단 모형의 수술 전 평가를 통해 임플란트의 간격 및 각도 문제를 예방할 수 있다. 이는 임플란트 부위에 적절한 수복 공간이 있는지 확인하는 데 특히 중요하다. 오랜 기간 동안 무치악이었던 부위는 종종 대합치의 정출을 초래하여 수복 공간 및 재료 선택에 있어서 제한이 생기게 된다(그림 3-5). 악궁 사이의 공간에 대한 평가는 필수적이다. 진단 모형은 수술 시에 임플란트의 배치를 돕기 위한 수술 가이드 제작에도 사용될 수 있다(수술 가이드에 대한 자세한 내용은 4장 참조).

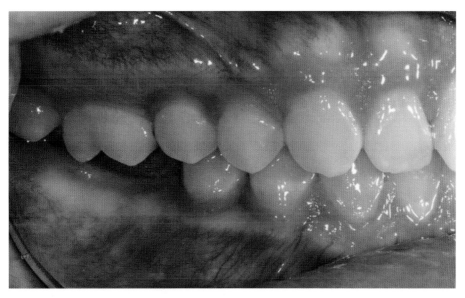

그림 3-5 대합치 정출로 인한 불충분한 수복 공간

임플란트 식립 부위의 골을 평가하면 임플란트를 식립하는 데 필요한 시간, 드릴링을 하는 가장 좋은 방법, 성공 여부 등을 예측할 수 있다. 골질이 좋지 않은 부위는 임플란트의 합병증과 골유착 실패를 일으킬 가능성이 높다. 골질은 일반적으로 I에서 IV형으로 분류된다[2]. I형 골은 매우 치밀하고 대부분 피질골이다. 이 유형의 골에는 혈액 공급이 제한되어 있으며 임플란트가 골유착 되는 데 종종 보다 오래 걸릴 수 있다. I형 골에 임플란트를 배치 할 경우 실패율이 높다. I형 골은 일반적으로 전치부에서 발견된다. 반면에 IV형 골은 가장 성긴 골 유형이며 대부분 해면골로 구성되어 있다. 임상의는 종종 IV형 골을 "스펀지" 또는 스티로폼과 같은 것으로 묘사한다. IV형 골은 임플란트 골유착에 가장 많은 시간이 필요하며 실패율이 가장 높다고 보고된다[3]. IV형 골은 일반적으로 상악 후방부에서 발견된다. 수술 부위의 골이 보강되었는지 여부(골유도재생술 또는 GBR)는 임플란트 식립시기를 결정하는 데 있어서 중요하다. 이식편의 크기와 골의 위치에 따라 임플란트를 식립하기 전에 골이식 부위를 약 3-8 개월 동안 치유시킬 것이 권장된다. 이식 부위에 너무 일찍 식립하면 임플란트 식립 시 임플란트의 고정을 얻을 수 없기 때문에 임플란트 실패의 위험이 커진다. 사용된 골이식재의 유형(즉, 동종골 또는 이종골)은 수술 부위의 골질에 영향을 미친다. CBCT는 또한 수술 의사가 Hounsfield Units (HU) 또는 밀도 단위를 평가하여 골밀도에 대해 술전에 예측할 수 있도록 해준다[4].

임플란트 부위 평가에서 가장 간과되는 측면 중 하나는 구강 연조직이다. 환자의 임플란트 실패 위험을 증가시킬 수 있는 치주 질환 및 치은의 biotype을 확인하기 위해 인접한 치아뿐만 아니라 구강 전체에 대한 치주 검사를 수행하는 것이 중요하다[5]. 또한, 인접 부위에서의 골 소실은 수술 후 연조직 퇴축을 초래할 수 있으며, 이는 케이스의 심미성에 악영향을 줄 수 있다. 수술을 수행하기 전에 염증이 있는 부위를 해결해야 한다. 임플란트 주위의 각화 치은과 부착 치은의 양은 임플란트의 장기적 유지에 중요하다. 임플란트가 골 내에 적절하게 식립되고 수복물이 이상적일 때에도 임플란트 주변 문제가 발생하는 것은 이러한 각화 치은

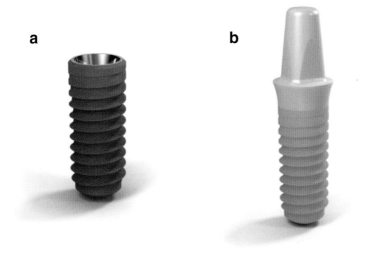

그림 3-6 티타늄(a) vs. 세라믹 임플란트(b)

및 부착 치은의 부족으로 인한 것일 수 있다. 임플란트의 적절한 장기 유지를 위해 치과 임플란트의 모든 측면에 최소 2 mm의 부착 치은이 존재해야 한다[6]. 수술 부위에는 최소 4 mm의 부착 조직이 필요하다(임플란트의 설측면에서 2 mm, 협측면에서 2 mm). 적절한 연조직이 존재하지 않는 경우, 임플란트 식립 전 또는 식립 시에 결합 조직 이식술 또는 동종 연조직 이식술을 수행해야한다.

마지막으로, 임플란트를 식립하기 전에 치아우식증, 치은 연하 마진 수복물 및 교합 마모의 징후를 확인하기 위해 치열의 평가를 해야 한다. 인접 치아의 충치는 환자의 전체 치료 계획에 영향을 줄뿐만 아니라 치태 및 식편이 임플란트 주위에 축적되는 상태를 만들 수 있다. 교합성 외상은 임플란트 실패의 원인이 될 수 있다고 보고되고 있으며[7], 이갈이 환자는 적절한 교합 가드 장치, 특히 경질 아크릴 장치를 장착해야 한다.

치료 계획의 다른 측면은 적절한 임플란트를 선택하는 것이다. 미국에는 200 종류가 넘는 치과 임플란트 시스템이 있다. 임상의는 치과 문헌에서 성공적으로 보고된 평판이 좋은 임플란트 회사를 사용하는 것이 좋다. 수명이 짧은 소기업은 임플란트 회사가 사업을 중단할 경우, 추후에 필요한 부품을 구입하지 못할 수도 있다. 티타늄과 세라믹 같은 임플란트의 소재 종류도 고려해야 한다(그림 3-6). 티타늄 임플란트는 30 년 이상 악골에서 가장 널리 사용되는 임플란트 재료이다. 최근에, 세라믹 임플란트는 시장에서 인기를 끌기 시작했다. 이러한 임플란트의 장기적인 성공에 대한 데이터는 아직도 제한적이며, 지르코니아가 치과 임플란트의 골유착 및 장기 유지를 위해 티타늄을 대체 할 수 있는 대안인지 여부는 시간이 좀 더 지나야만 알 수 있을 것이다.

다른 고려 사항은 임플란트의 플랫폼 종류(본레벨 vs. 티슈레벨), 길이, 모양(스트레이트 vs. 테이퍼) 및 직경이다. 일반적으로, 임플란트 플랫폼의 종류는 원하는 최종 수복 결과에 따라 보철과 의사, 때로는 외과 의사에 의해 결정된다. 티슈레벨 임플란트는 임플란트-지대주 계면을 치조골에서 멀리 위치시키는, 잘 연마된 칼라를 제공한다(그림 3-7). 그러나 얇은 조직 또는 제한된 수복 공간의 영역에서 이러한 칼라는 연조직을 통해 티타늄이 비치거나 세라믹 보철물을 위한 공간이 불충분해지게 하는 결과를 초래할 수 있다. 본레벨 임플란트는 더 큰 수복 공간을 제

그림 3-7 스트라우만 티슈레벨 임플란트   그림 3-8 스트라우만 본레벨 임플란트

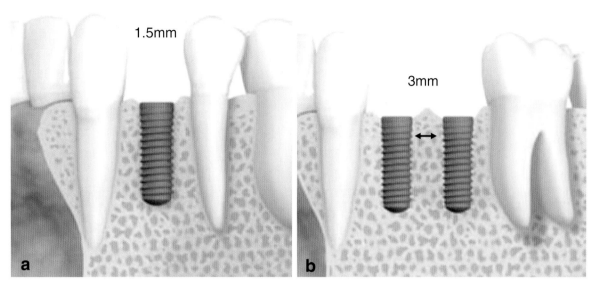

그림 3-9 치간유두를 위한 적절한 공간을 부여하기 위해서는, 임플란트와 자연치 사이에는 1.5 mm의 공간이 있어야 하고(a), 인접한 임플란트 사이에는 3 mm의 공간이 있어야 한다(b).

공하지만 임플란트-지대주 계면을 치조골 높이에 배치시킨다(그림 3-8). 임플란트의 길이는 식립부 상태 및 인접 구조물에 대한 근접성에 의해 결정된다. 임플란트의 근첨은 중요한 구조(신경, 상악동, 언더컷 등)에서 2 mm 이상 떨어져있는 것이 좋다[8]. 스트레이트 또는 테이퍼형태의 임플란트 중에 어떤 모양을 선택할 지는 개인적인 선호도에 따른다. 테이퍼형 임플란트는 보다 "공격적인" 나사산 설계를 제공하는데, 이는 특히 임상의가 임플란트를 발치 즉시 식립하는 상황에서 골에 고정하는 데 더 좋다. 스트레이트한 임플란트는 더 넓은 표면적을 제공하므로 더 많은 골과 임플란트의 접촉을 제공한다. 임상의가 이러한 것들을 고려해서 환자에게 가장 적합한 것을 결정하도록 한다. 임플란트의 직경은 임플란트의 장기적인 성공에도 중요하다. 임플란트의 모든 측면에 최소 2 mm의 뼈가 있는 것이 좋다[9]. 임플란트에서 인접한 치아까지 1.5 mm 이상, 인접한 임플란트들 사이에는 최소 3 mm의 공간이 있어야 치간유두형성을 위한 충분한 공간을 확보 할 수 있다[10](그림 3-9). 인접 치열과 관련하여 치과 임플란트의 적절한 배치를 계획하고 실행하면 보철과 의사가 식편 압입을 방지하고 환자의 적절한 위생관리가 가능하게 하는 이상적인 윤곽을 가진 최종 보철물을 제작할 수 있다.

마지막으로, 누가 임플란트 위치를 결정하는지에 대한 의문이 있다. 수술담당 의사인가, 보철과 의사인가, 아니면 둘 모두인가? 많은 경우 수술과 보철을 한 명의 동일한 치과의사가 진행하게 되지만, 그렇지 않은 상황에서는 수술 의사와 보철 의사가 임플란트의 최종 위치, 크기, 모양 및 유형을 결정하기 위해 협력하는 것이 중요하다. 임플란트의 배치는 보철 치과 의사가 이상적인 최종 보철물을 제작할 수 있는 위치에 있어야한다. 그러나 때로는 이상적인 수복 위치에 임플란트를 식립할 수 없는 해부학적 제한이 있다. 치과 팀이 임플란트의 위치와 관련하여 합의를 하는 것이 매우 중요하다. 종종, 외과의와 보철과 의사 사이의 이러한 의사 소통으로 합의된 최종 위치에 식립하는 데 도움을 주는 수술 가이드(4 장)를 제작하기도 한다.

치료 계획 프로세스에 충분한 시간이 소요되면 임플란트 성공 가능성이 높다. 임상의는 치료 계획의 모든 측면에서 유능해야하며 이 과정에서 단계를 건너 뛰지 않아야 한다. 임플란트의 식립과 보철수복이 이상적인 방식으로 수행된 후에도 임플란트와 보철물에 문제가 발생할 가능성은 여전히 존재한다. 이 책은 이러한 문제에 초점을 맞출 것이며, 다음 장부터는 문제를 해결하는 방법을 서술할 것이다.

2. 요약

치료 계획 프로세스에 충분한 시간을 할애해야 한다. 적절한 계획으로 많은 임플란트 문제를 피할 수 있다. 방사선 사진, 진단모형 및 임상 사진을 포함한 진단 자료를 수집해야 한다. 수술 담당 의사와 보철 담당 의사는 임플란트의 적절한 사이즈와 식립 위치를 결정하기 위해 함께 협력해야 한다.

Reference

1. Sonick M, et al. A comparison of the accuracy of periapical, panoramic, and computerized tomographic radiographs in locating the mandibular canal. Int Oral Maxillofac Implants. 1994;9:455-60.

2. Lekholm U, Zarb GA. Patient selection and preparation. In: Tissue integrated prostheses: osseointegration in clinical dentistry. Batavia: Quintessence Publishing Company; 1985. p. 199-209.

3. Goiato MC, et al. Longevity of dental implants in type IV bone: a systematic review. Int J Oral Maxillofac Surg. 2014;43(9):1108-16.

4. Valiyaparambil JV, Yamany I, Ortiz D, Shafer DM, Pendrys D, Freilich M, et al. Bone quality evaluation: comparison of cone beam computed tomography and subjective surgical assessment. Int J Oral Maxillofac Implants. 2012;27:1271-7.

5. Levin L, Ofec R, Grossmann Y, Anner R. Periodontal disease as a risk for dental implant failure over time: a long-term historical cohort study. J Clin Periodontol. 2011;38(8):732-7.

6. Chung D, Oh T, Shotwell J, Misch C, Wang HL. Significance of keratinized mucosa in maintenance of dental implants with different surfaces. J Periodontol. 2006;77(8):1410-20.

7. Graves C, Harrel S, Rossmann J, Kerns D, Gonzalez J, Kontogiorgos E, Al-Hashimi I, Abraham C. The role of occlusion in the dental implant and peri-implant condition: a review. Open Dent J. 2016;10:594-601.

8. Misch CE. Root form surgery in the edentulous mandible: stage I implant insertion. Contemporary implant dentistry. 2nd ed. St. Louis: CV Mosby; 1999. p. 360.

9. Spray JR, Black CG, Morris HF, Ochi S. The influence of bone thickness on facial

marginal bone response: stage 1 placement through stage 2 uncovering. Ann Periodontol. 2000;5:119–28.

10. Tarnow DP, Cho SC, Wallace SS. The effect of inter-implant distance on the height of inter-implant bone crest. J Periodontol. 2000;71(4):546–9.

CHAPTER

임플란트 주위 문제의 예방: 수술적 측면

4

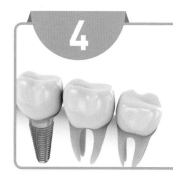

4

임플란트 주위 문제의 예방: 수술적 측면

Thomas G. Wilson Jr., Stephen Harrel, and Danieli Rodrigues

핵심 정리

- 임플란트는 최소한 1 mm의 뼈(협측에서 2 mm)와 2 mm의 각화조직으로 둘러싸여야 한다.
- 발치와 또는 수평적 골유도 재생술로 대부분의 경우 적절한 골이 생성된다.
- 직경이 큰 임플란트는 직경이 작은 임플란트보다 예후가 좋다.
- 최종 수복물을 고려하여 임플란트를 위치시켜야 임플란트 성공률이 높아진다.
- 잘 만들어진 수술용 템플릿은 최상의 수술 결과를 가져온다.

---

1. 수술 부위

    Chap. 3에서 언급했듯이, 임플란트 실패를 예방하는 데 중요한 요소는 적절한 골이 있는 것이다. 골이 적절히 있어야 임플란트가 최종 보철물에 적절한 방향으로 식립될 수 있다. 뼈가 적절히 있지 못하면 비심미적 결과나 임플란트의 실패 등 다양한 문제를 유발시키는 주요 원인이 될 수 있다.

    뼈의 최소 두께는 1 mm이다(협측은 2 mm가 바람직하다). 발치 시 골이식을 하지 않는 경우 종종 뼈가 부족한 경우가 발생한다[1]. 적절한 뼈를 이용할 수 없는 경우, 이 문제는 일반적으로 발치와 증강술(socket enhancement)이나 치조제 보존술(ridge preservation)이라고 불리는 골 이식에 의해 해결될 수 있다[2]. 저자들이 선

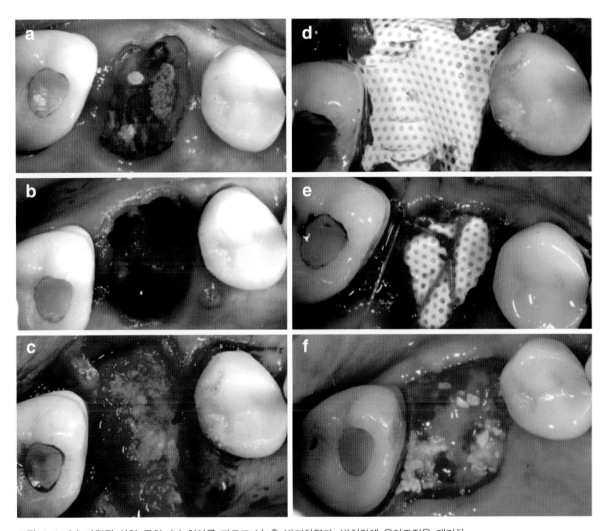

그림 4-1 (a) 파절된 상악 구치. (b) 치아를 자르고 난 후 발거하였다. 발치와에 육아조직을 제거하고 요오드(iodine)로 세척하였다. (c) 동종 탈회 및 비탈회 건조골을 법랑기질 유도체(enamel matrix derivatives)와 혼합하여 발치와에 적용하였다. (d) 발치와를 치밀한(dense) PTFE 차폐막으로 덮었다. (e) 차폐막의 1/3 이 노출된 형태로 남겨두었고 1 개월 후에 제거한다. (f) 막 제거 직후에 골 이식재 입자가 남아있는 미성숙 조직. 연조직은 2-3주 만에 성숙하며 4-6개월 안에 임플란트를 식립할 수 있게 된다.

호하는 골이식재는 사람의 동결 건조 골이식재이다(그림 4-1c). 각 나라의 규정으로 인해 이를 사용할 수 없는 경우, 자가골 또는 적절히 처리된 이종골을 사용할 수 있다. 골이식재는 법랑기질 유도체와 혼합되어 발치와에 적용되고 PTFE 막으

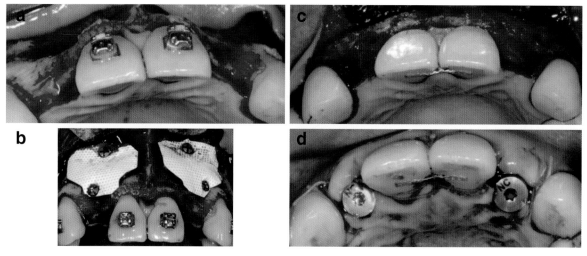

그림 4-2 (a) 상악 측방 절치 선천적 결손과 관련이 있는 부족한 협측 골. (b) 치밀한 PTFE 막을 동종 탈회 및 비탈회 동결건조 골을 법랑기질 유도체와 혼합하여 적용한 부위 위를 덮었다. (c) 수술 6개월 후 모습으로 골재생을 관찰할 수 있다. (d) 임플란트 식립.

로 덮었을 때, 예지성 있는 결과를 얻을 수 있다[3]. 저자들은 이 접근법을 심미적인 부위에서 일상적으로 사용하고 있다. 심미적으로 민감한 부위에서는 결합 조직 이식편을 차폐막 역할을 하는 이식재로 사용한다.

임플란트 식립하기 전 혹은 동시에, 또는 드문 경우에는 임플란트를 식립한 이후 치유된 부위에서 골증대술을 시행할 수 있다. 이 술식의 시기는 골 결손부의 양과 위치에 의해 결정된다. 일반적으로 협측골이 부족한 경우가 많다. 법랑기질을 자가골 또는 동종 동결 건조골과 혼합하여 수평골 골이식술을 시행하면 측면 방향으로 골을 보강할 수 있다(그림 4-2 및 4-3).

오래 지속되는 콜라겐 차폐막은 작은(2-3 임플란트 thread 노출) 협측 열개 결손부를 덮는 데 사용된다. 일반적으로 임플란트 식립시 발생하는 이러한 작은 결손부에 골이식이 시행된다. 적절한 술식을 이용하여 심미적으로 중요하지 않은 부위에서 예지성 높은 결과를 얻을 수 있다. 치조제 증강술로 2~3 mm 이상의 수직 높이를 얻는 것은 어려우며 대부분의 경우 예지성이 떨어진다[4].

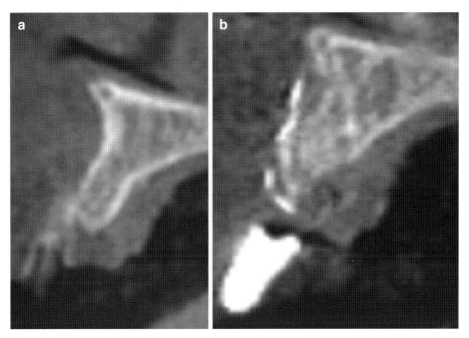

그림 4-3 (a) 치조제 증강술 전 원추형 전산화 단층 촬영(CBCT) 단면. (b) 측방 치조제 증강술 6 개월 후 CBCT 단면.

2. 심미적 부위(esthetic zone)

심미적 부위에서의 임플란트 식립 후 예지성 높은 결과를 달성하는 것은 어렵고, 많은 기술과 훈련이 필요하다. 치과 의사가 이러한 부위의 치료에 익숙하지 않은 경우, 전문의에게 의뢰하는 것이 추천된다. 전치부 임플란트 식립 시 협측 골판이 온전히 존재하고, 초기 고정을 얻을 수 있는 경우에는 즉시 임플란트 식립이 선호된다[5]. 이 부위에 임플란트 식립 시 경조직 및 연조직 이식이 동시에 진행된다. 임플란트의 협면에 적용하는 이식재로는 동종 동결 건조골이나 결합 조직 이식편 등이 있다. 연조직 이식편을 이용하면 적절한 출현 윤곽(emergence profile)을 부여할 수 있어 심미적 결과를 기대할 수 있다[6]. 다근치 발거 후 임플란트 즉시식립은 예지성이 부족하여 발치와 골이식 및 임플란트 지연식립이 추천된다.

3. 임플란트 선택

임플란트를 적절히 선택하는 것도 중요하다. 치과 의사가 3장에 제시된 치료 계획 과정을 이용한다면, 적절한 임플란트를 선택하는 것이 단순화된다. 치료 계획 과정에서 사용 가능한 뼈는 인접한 치아, 신경, 비강저(nasal floor) 및 상악동을 포함한 중요한 구조와의 근접성(proximity)에 대하여 3차원적으로 결정된다. 많은 경우에, 이를 위해 콘빔 전산화 단층 촬영(CBCT)이 필요하다. 잘못된 임플란트/보철물 계면이 장기적인 예후에 부정적인 영향을 미칠 수 있기 때문에 임플란트와 최종 보철물의 관계를 시각화하는 것도 중요하다(9장 참조). 여러 개의 크라운이 필요하거나 심미적으로 어려운 부위에 수복이 필요한 경우에는 모형 마운팅(mounted casts)과 진단용 납형(diagnostic wax-up)을 제작하여 최종 수복물의 위치와 모양을 미리 보는 것이 유리하다. 이 과정을 "크라운 다운(crown-down)" 계획법이라고 한다[7].

4. 교합력(occlusal force)

교합력(occlusal forces)은 임플란트 예후에 부정적인 영향을 미칠 수 있다(9장 참고). 이것은 이갈이와 같은 이상기능 습관(parafunctional habits)이 있는 환자에서 특히 그렇다[8]. 결과적으로 과도한 교합력을 가장 잘 수용 할 수 있는 충분한 강도와 치수의 임플란트를 식립하는 것이 좋다. 최근 후방 육분원(sextant)에서 작은 직경의 임플란트에 관심이 증가하고 있으나 이러한 새로운 임플란트조차도 더 큰 실패를 보여 주었기 때문에 문제가 되고 있다[9]. 이러한 실패 중 다수가 어떤 교합 과부하(occlusal overload)와 관련되어 있을 가능성이 높다.

장기적인 임상 관찰을 통해서 저자들은 임플란트 식립 후 발생하는 문제가 있는 임플란트의 수명(longevity)과 수리 용이성이 다음과 같은 요인으로 인해 증가한다고 결론을 내렸다.

- 큰 회사의 임플란트를 선택하라. 장기적인 문제는 종종 임플란트 자체가 아닌 구성 부품 교체와 관련되므로 중요하다. 큰 기업들은 임플란트 식립 후 몇 년 동안 필요할 수 있는 부품을 공급할 수 있는 재고 보유능력을 가지고 있다.

- 저자는 현재 IV등급 냉간 가공 티타늄/지르코니아 임플란트를 사용한다. 다양한 표면 처리가 된 티타늄 합금 임플란트는 오랜 기간 성공적인 결과를 보여주었다. 지르코늄과 같은 임플란트에 사용되는 재료는 단기적으로 높은 성공을 보였지만 현재 장기적인 생존력은 티타늄에 비해 많이 알려져 있지 않다[10].

- 어금니 부위에는 직경은 4 mm 이상, 길이는 8–12 mm의 임플란트가 권장된다.

- 더 작은 직경 또는 더 짧은 임플란트, 특히 후방 육분원에 식립된 임플란트는 스플린팅(splinting)하는 경우 더 성공적인 경향이 있다[9].

- 현재 임플란트 표면은 중등도의 거칠기(moderately rough)가 추천되고 있다(6장 참조). 거친 표면이 구강에 노출되면 미생물 오염이 증가하여 임플란트 실패로 이어질 수 있으므로 이러한 표면은 뼈로 둘러싸여 있어야 한다.

5. 수술법

기공실에서 제작한 수술용 템플릿을 이용한 가이드 수술(guided surgery)은 적절한 임플란트 식립 가능성을 높인다[11]. 정확도가 중요한 부위에서는 디지털 계획 및 수술용 템플릿의 제작이 제안된다. 수술 전 CBCT 및 예상되는 최종 보철물의 디지털 이미지가 임플란트 계획 프로그램에 입력된다. 최종 보철물과 관련한 디지털 임플란트를 프로그램 안에서 식립해 볼 수 있다(그림 4-4). 계획이 완료되면 컴퓨터 가이드 수술 템플릿이 제작된다. 임플란트를 식립하기 위해서는 직경이 증가한 수술용 템플릿과 함께 사용된다(그림 4-5).

방사선 깊이 표시자(depth marker)는 초기 드릴을 골절제 부위로 조금 전진시켜

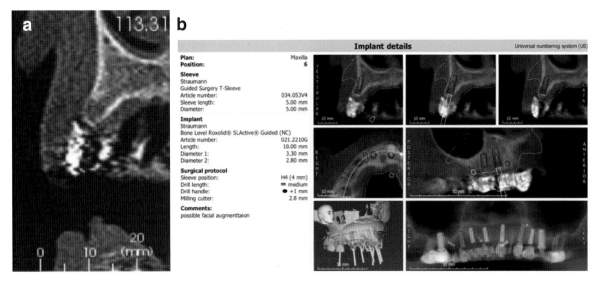

그림 4-4 (a) 계획된 임플란트 부위의 CBCT 단면도. 방사선 사진 템플릿의 개구부는 계획된 최종 크라운과 임플란트 부위와의 관계를 나타낸다. (b) 계획된 크라운 및 골의 최종 위치와 관련하여 디지털 임플란트가 배치된다. 다른 임플란트 위치에서도 같은 과정이 진행되었다.

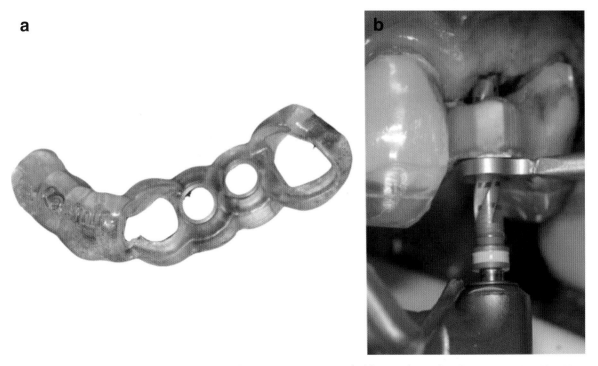

그림 4-5 (a) 디지털로 제작된 수술 가이드 템플릿(guided surgical template). (b) 슬리브(sleeve)를 축소한 수술 템플릿을 이용하여 드릴링(drilling)

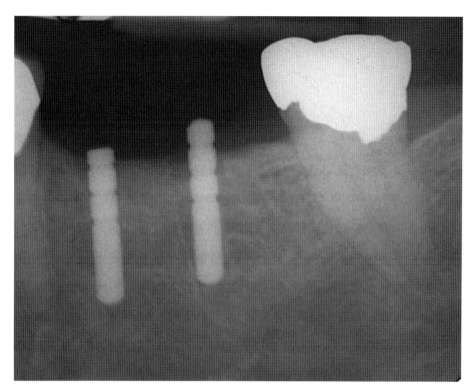

그림 4-6 방사선 촬영. 최종 골 절제(osteotomy) 깊이는 10 mm이다. 이것들은 8 mm까지 드릴링 한 후에 위치 시켰고 깊이와 방향을 확인하는데 사용되었다.

위치시킨 후 치근단 방사선 사진을 수직으로 촬영한다(그림 4-6). 수술 과정에서 필요한 조정이 끝나면 골절제가 마무리된다. 충분한 주수(irrigation) 하에 단계별 드릴링을 진행하여야 골이 과열되는 것을 피할 수 있다. 과열은 임플란트의 조기 실패의 일반적인 원인이다. 거친 표면의 임플란트는 치조정에서 약간 하방에 식립되도록 주의를 기울여야 한다.

임플란트를 위한 연조직 및 경조직 지지 조직에 대한 평가와 함께 적절하게 계획되고 제작된 수술 템플릿 또는 "가이드"를 사용하면 불충분한 골 또는 부적절한 임플란트 식립과 관련된 문제를 피할 수 있다. 요약하자면, 임플란트 수술 후 발생하는 문제를 피하는 가장 좋은 방법은 임플란트 식립과 관련하여 수술 전 치료 계획 및 수술 술식에 대해 철저히 평가하는 것이다.

우리 환자들은 수술 전후로 광범위 항생제(broad-spectrum antibiotics)를 투여 받는다[12].

수술 직전에 환자는 클로로헥시딘(chlorhexidine)으로 30초 동안 헹궈낸다. 구강 주변 조직 세정(cleaning the peri-oral tissues), 작업 표면의 무균화(sterile work surfaces) 및 환자 드래핑(draping the patient)을 포함한 적절한 무균 조치는 수술 후 감염 가능성을 줄일 수 있다. 수술 후 환자에게 클로로헥시딘 가글액이 3-6주 동안 처방하여 하루에 두 번 사용하도록 한다. 수술 후 지침에는 수술 부위 피하기(즉, 만지거나 씹지 않는 것)가 포함된다.

새로운 표면 처리법이 적용된 임플란트를 식립하고, 스플린팅(splinting)하여 조기 부하가 가능한 경우도 있으나, 단일 임플란트 수복이나 악궁(curve of the arch)에 연결되지 않은 임플란트에서는 12주 후 부하(loading)을 주는 것이 적합하다. 환자는 수복 단계를 거쳐 직각으로 방사선 사진을 촬영하여 이를 향후 유지 기간에서 참고하는 기준점으로 이용하게 된다(10장 참조).

요약하자면, 적절한 치료계획과 수술 술식을 통해 임플란트의 장기적 예후를 높일 수 있다.

6. 요약

많은 요인들이 임플란트 실패로 이어질 수 있다. 임플란트의 성공적인 결과 및 임플란트 실패 예방을 위해서 많은 부분에서 세부 사항에 주의를 기울여야 한다.

Reference

1. Araujo MG, Lindhe J. Dimensional ridge alterations following tooth extraction. An experimental study in the dog. J Clin Periodontol. 2005;32(2):212–8. https://doi.org/10.1111/j.1600-051X.2005.00642.x.

2. Iasella JM, Greenwell H, Miller RL, Hill M, Drisko C, Bohra AA, Scheetz JP. Ridge preservation with freeze-dried bone allograft and a collagen membrane compared to extraction alone for implant site development: a clinical and histologic study in humans. J Periodontol. 2003;74(7):990–9. https://doi.org/10.1902/jop.2003.74.7.990.

3. Cheon GB, Kang KL, Yoo MK, Yu JA, Lee DW. Alveolar ridge preservation using allografts and dense polytetrafluoroethylene membranes with open membrane technique in unhealthy extraction socket. J Oral Implantol. 2017;43(4):267–73. https://doi.org/10.1563/ aaid-joi-D-17-00012.

4. Urban IA, Lozada JL, Jovanovic SA, Nagursky H, Nagy K. Vertical ridge augmentation with titanium-reinforced, dense-PTFE membranes and a combination of particulated autogenous bone and anorganic bovine bone-derived mineral: a prospective case series in 19 patients. Int J Oral Maxillofac Implants. 2014;29(1):185–93. https://doi.org/10.11607/jomi.3346.

5. Evans CD, Chen ST. Esthetic outcomes of immediate implant placements. Clin Oral Implants Res. 2008;19(1):73–80. https://doi.org/10.1111/j.1600-0501.2007.01413.x.

6. Grunder U. Crestal ridge width changes when placing implants at the time of tooth extraction with and without soft tissue augmentation after a healing period of 6 months: report of 24 consecutive cases. Int J Periodontics Restorative Dent. 2011;31(1):9–17.

7. Ewers R, Seemann R, Krennmair G, Schicho K, Kurdi AO, Kirsch A, Reichwein A. Planning implants crown down--a systematic quality control for proof of concept. J Oral Maxillofac Surg. 2010;68(11):2868–78. https://doi.org/10.1016/j.joms.2009.03.024.

8. Chrcanovic BR, Kisch J, Albrektsson T, Wennerberg A. Bruxism and dental implant failures: a multilevel mixed effects parametric survival analysis approach. J Oral Rehabil. 2016;43(11):813–23. https://doi.org/10.1111/joor.12431.

9. Klein MO, Schiegnitz E, Al-Nawas B. Systematic review on success of narrow-diameter dental implants. Int J Oral Maxillofac Implants. 2014;29(Suppl):43–54. https://doi.org/10.11607/jomi.2014suppl.g1.3.

10. Hashim D, Cionca N, Courvoisier DS, Mombelli A. A systematic review of the clinical survival of zirconia implants. Clin Oral Investig. 2016;20(7):1403–17. https://doi.org/10.1007/s00784-016-1853-9.

11. Higginbottom FL, Wilson TG Jr. Three-dimensional templates for placement of root-form dental implants: a technical note. Int J Oral Maxillofac Implants. 1996;11(6):787–93.

12. Surapaneni H, Yalamanchili PS, Basha MH, Potluri S, Elisetti N, Kiran Kumar MV. Antibiotics in dental implants: a review of literature. J Pharm Bioallied Sci. 2016;8(Suppl 1):S28–31. https://doi.org/10.4103/0975-7406.191961.

CHAPTER

5

임플란트 주위 문제의 예방: 보철적 측면

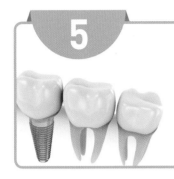

5

임플란트 주위 문제의 예방:
보철적 측면

Frank Higginbottom and Francisco Curiel-Aguilera

임플란트 주위의 보철적 합병증은 치료의 여러 단계에서 발생할 수 있다. 진단 단계에서 최종 수복 단계까지 합병증의 위험을 최소화하려면 관련 생물학적, 기계적 및 기능적 원칙을 지켜야 한다.

치료 계획 수립 단계에서부터 임플란트 식립 부위를 결정할 때에는 최종 수복물의 위치를 고려하여 3차원적으로 신중하게 평가해야 하며, 이를 "crown-down planning"이라고 한다. 이 프로세스는 최종 수복물에 대한 청사진으로 사용될 진단 모형 제작 및 진단 왁스업(아날로그 또는 디지털) 제작으로 시작된다. 그 다음 단계는 예상된 최종 수복물의 위치로부터 임플란트를 식립할 위치를 거꾸로 유추해 내는 것이다. 이러한 과정의 목표는 임플란트와 크라운을 생물학적, 기능적, 심미적으로 적절한 위치에 두는 것이다.

이 초기 치료 단계에서 치조골을 평가해야 하며 경조직 또는 연조직 결함이 있는지 확인해야한다. 치료 시작 전의 "crown-down" 평가 방법은 연조직 및 경조직 이식이 필요한지 여부에 대한 평가를 포함해서 임플란트/보철 수복의 과정을 구상하게 해줄것이다[1–3]. 임플란트 식립을 위한 식립부위의 전처치가 끝나면, 보철 수복의 목표의 재평가가 필요하다. 그리고 외과의를 돕기 위해 수술용 스텐트를 제작해 줄 수 있을 것이다[4–6](4장 참조).

이 장에서는 성공적인 임플란트 계획을 위해, 수술 담당 의사와 보철 담당 의사가 고려해야 할 보철적 요소들에 대해 다룰 것이다.

1. 적절한 크라운 형태를 위한 임플란트의 식립

임플란트 식립 각도는 스크류 홀이 전치의 경우 cingulum 쪽으로 나오게 해야하고 구치의 경우는 central fossa 쪽으로 나오게 해야 한다. 이것은 임플란트 식립을 위한 수술용 가이드를 사용하여 더 쉽게 달성할 수 있다. 적절하게 계획된 임플란트 위치는 임상의가 이상적인 contour를 가진 수복물을 제작할 수 있게 하며, 적절한 출현 윤곽(emergence profile), 적절한 치간공극 및 접촉면 형성을 가능하게 한다.

출현 윤곽은 "연조직에서부터 나오는 치아 또는 수복물의 윤곽"을 말한다[7]. 그것은 수복물 주변 연조직의 장기적인 안정성과 적절한 두께를 유지를 위해 오목하게 형성되어야 하며, 그래야 향후 치은 퇴축 같은 심미적/기능적 손상을 방지할 수 있다(그림 5-1). 출현 윤곽의 형태는 임시 수복물로 형성할 수 있는데, 최종 수복물 제작 시에 적절한 인상 기법으로 주모형으로 옮겨져야 한다[8-10].

인접 접촉면은 치조골로부터 이상적으로는 5-6 mm 정도 높은 곳에 형성되어

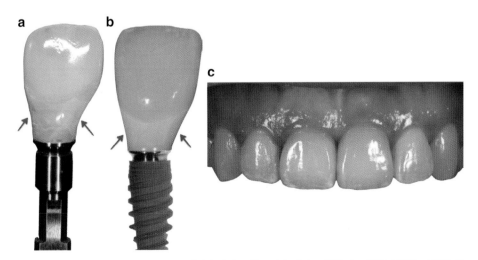

그림 5-1 출현 윤곽(Emergence profile) (a) 임시 보철물, (b) 임시 보철물의 오목한 외형을 재현한 최종 보철물(화살표), (c) 구강내에 체결된 상악 좌측 중절치의 최종 보철물

야 적절한 치간공극을 형성할 수 있다[11]. 이렇게 되도록 잘 계획을 하면 "블랙 트라이앵글"의 형성과 식편 압입이 방지되도록 치간유두가 잘 형성될 수 있다(그림 5-2). 지나치게 긴밀하게 치간공극을 막는 것은 피해야하는데, 치간유두에 과도한 압박을 가하여 연조직 퇴축을 유발하고 위생 관리를 어렵게 하기 때문이다[12, 13]. 만족스러운 인접면 접촉은 식편 압입을 예방하고 수복물의 청결성을 향상시켜 임플란트 주위의 염증의 발생률을 낮출 수 있다

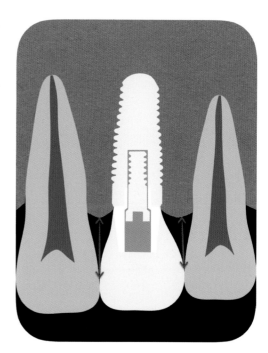

그림 5-2 임플란트 수복물의 인접면 접촉부위에서 치조제까지의 거리는 5-6 mm가 되어야 치간유두가 적절히 채워진다(화살표).

2. The Implant-Abutment Connection

골유착된 임플란트는 픽스쳐의 가장 치관쪽 부분에서 보철물과 연결된다. 임플란트-지대주 연결부의 안정성은 치료의 장기적인 성공에 있어서 중요한 요소이다. 안정적인 연결부는 나사 풀림, 박테리아 침투, 그리고 임플란트 및 보철 부품의 손상을 방지한다. 내측 연결형 임플란트(internal connection)는 외측 연결형(external connection)보다 선호되는데, 장기적으로 안정성이 우월하고 나사풀림이 보다 적기 때문이다[14, 15](그림 5-3).

지대주, 크라운과 임플란트의 연결이 안정적이려면 보철 부품과 임플란트를 동일한 회사에서 제조해야 한다. 애프터 마켓(aftermarket) 또는 모조품(copycat) 구

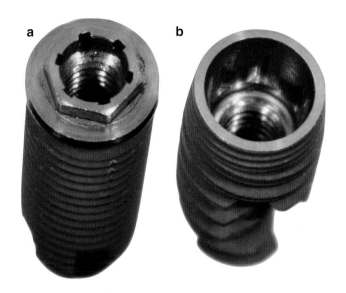

그림 5-3 (a) 외부 육각 연결형(External hexagon connection), (b) 내부 연결형(Internal implant connection)

성 요소를 사용하면 나사 풀림 또는 파절 가능성이 증가하고 임플란트와 지대주 표면 간의 갭이 커지게 된다[16].

여러 연구에서 지대주 직경이 임플란트의 직경보다 작은 플랫폼 스위칭 연결을 사용하면 플랫폼 일치 연결과 비교할 때 임플란트 주변 골 수준의 장기 안정성이 향상된다고 보고하였다. 이것은 지대치와 임플란트 사이의 마이크로 갭과 관련이 있는데, 플랫폼 스위칭은 이를 연조직과 골의 경계부로부터 보다 멀리 떨어지게 만든다[17-19].

최종 보철 나사는 일반적으로 금 또는 티타늄 합금을 사용하여 제작된다. 기공 용 나사는 보통 스테인레스 스틸 또는 이와 유사한 합금으로 제작된다. 금속 간 의 이온 교환 및 비호환성으로 인한 나사 파절, 나사산 마모 또는 임플란트 부식 을 방지하기 위해 임시 또는 최종 보철물을 수복할 때는 기공용 나사를 사용하지 않아야 한다. 나사 풀림 또는 나사 파절을 방지하기 위해, 체결 토크를 알 수 있는 렌치를 사용하여 제조업체의 권장 사항에 따라 보철 나사를 조여야 한다. 수복물의 장기적인 성공을 위해서는 제조업체가 지정한 권장 토크로 나사를 조이는 것이 중요하다.

3. Custom Abutments

크라운을 지지하는 데 사용되는 지대주는 임상 상황에 적합해야 한다. 맞춤형 지대주(custom abutment)는 식립 각도로 인해 생기는 문제를 보정할 수 있고 지대주-크라운 경계면을 보다 위쪽으로 올릴 수 있는데, 이러한 것들은 기성 지대주를 사용해서는 불가능하다. 맞춤형 지대주는 주로 시멘트 유지형 수복물을 제작하는 데 사용된다.

맞춤형 지대주는 왁스를 사용해서 캐스팅을 해서 제작하거나 밀링을 해서 제작할 수 있으며, 여러 종류의 금속과 세라믹으로 제작 가능하다. 맞춤형 지대주를 디자인할 때에는 출현윤곽 부분이 적절하게 오목한 형태를 가지도록 디자인해야 한다(이상적인 임시수복물의 형태를 재현해야 한다).

수복물의 마진은 치은연 위치에 설정하여야 하는데, 잔존 시멘트의 제거에 유리하기 때문이다. 심미적 부위에서는 마진을 0.5 mm 치은연하로 위치시켜 마진이 노출되는 것을 방지하여야 하고, 대신 잔존 시멘트가 남지않도록 주의를 기울여야 한다. 잔존 시멘트의 존재는 임플란트 주변 골 소실과 밀접한 관련이 있는 것으로 보고되고 있다[20-22].

4. 나사 유지형(Screw-Retained) or 시멘트 유지형(Cemented Restorations)?

나사 유지형 수복물은 시멘트 유지형 수복물보다 선호된다. 나사 유지형 수복물은 나중에 약간의 수리가 필요하거나 나사가 느슨해져서 교체해야 할 경우 쉽게

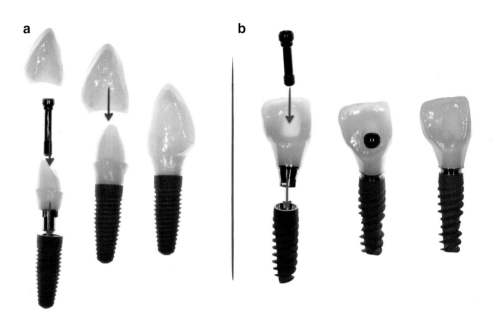

그림 5-4 (a) 시멘트 유지형 수복물: 올세라믹 지대주, 스크류, 올세라믹 크라운, (b) 나사 유지형 수복물: 원피스 형태의 크라운과 지대주, 스크류

탈부착할 수 있는 이점이 있다. 대부분의 경우 시멘트 유지형 크라운은 탈부착 할 수 없으므로 수리하거나 지대치 나사를 교체해야하는 경우에는 잘라내야 한다. 또한, 시멘트 유지형에서는 잔존 시멘트와 그에 따른 임플란트 주변 골 손실이 발생할 수 있다(그림 5-4).

스크류 홀 개구부를 올바르게 위치시키려면 적절한 위치에 임플란트가 식립되어야 한다. 적절한 위치는 구치의 경우, 교합면의 중앙이고, 전치의 경우, 싱귤룸 부위이다(그림 5-5). 부적절한 위치나 방향으로 식립된 임플란트는 나사 유지형 수복물로의 수복을 어렵거나 불가능하게 만들 수 있다.

나사 유지형 임플란트 크라운은 금속베이스 UCLA 지대주와 함께 porcelain fused to metal (PFM) 기술을 사용하여 제작할 수 있다. PFM기술의 대안으로는 "screwmentable" 크라운을 사용하는 것이다(역자 주: 한국 개원가에서 흔히 SCRP라 불리

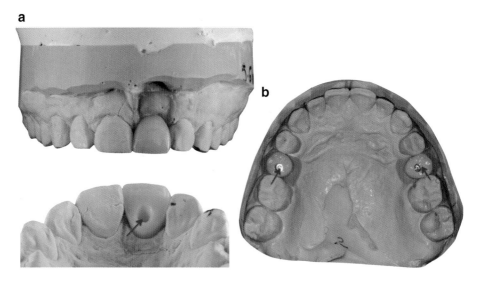

그림 5-5 스크류 홀(화살표) (a) 상악 좌측 중절치의 cingulum 부위, (b) 상악 좌측, 우측 제2소구치의 중심와 부위

우는 형태). 이 유형의 수복물은 지대주(기성 또는 커스텀)와 스크류홀이 뚫려있는 크라운으로 구성된다. 두 구성 요소를 주모형 상에서 시멘트로 합착할 수 있어, 적절한 시멘트 제거가 가능하다(그림 5-6).

일부 임플란트 회사는 임플란트 식립 위치나 방향이 부적절하여(절단연이나 협면에서 스크류홀 개구) 기존의 나사 유지형 디자인을 사용할수 없는 경우에 사용할 수 있도록 angulated스크류 시스템을 개발했다. 이러한 시스템은 일반적으로 최대 25도 보정이 가능하다. 이 angulated스크류 시스템을 사용하려면 특수한 나사와 기구가 필요하다(그림 5-7).

나사 유지형 디자인을 사용하기가 불가능한 경우도 있다. 이런 경우에는 시멘트 유지형을 사용하여야 한다. 잔존 시멘트가 남을 경우 임플란트 주위염을 일으킬 수 있다[20, 22, 23]. 잔존 시멘트는 자연치에서는 큰 문제를 일으키지 않는데, supra-crestal fiber들이 백악질에 부착하여 치은열구로부터 잔존 시멘트가 침투되어 들어오는 것을 막아내기 때문이다. 그러나 임플란트에서는 그러한 치은 섬유

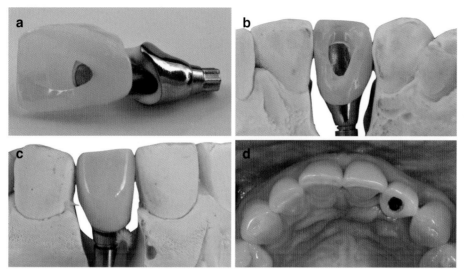

그림 5-6 "Screwmentable" implant crown (a) 커스텀 티타늄 지대주와 단일구조 지르코니아 크라운, (b) 작업 모형에서 크라운과 지대주를 합착, (c) 잉여시멘트를 브러쉬로 제거, (d) 구내에 체결

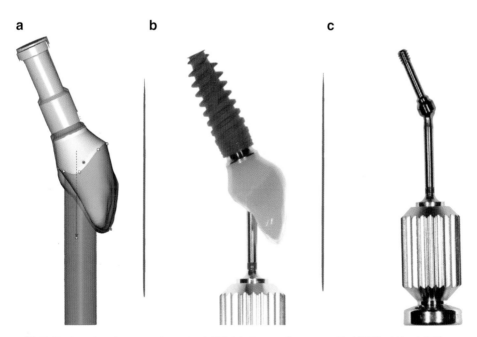

그림 5-7 Angulated screw channel 지대주 (a) Procera® software를 사용한 가상 디자인(25º 까지 개선 가능), (b) 최종 보철물에서 개선된 스크류 액세스 방향, (c) Omnigrip® angle correction screwdriver 와 screw

가 없다. 이러한 방어기전이 없기 때문에 잔존 시멘트가 임플란트 표면과 골 사이의 부착 영역으로 침투해 들어가기가 더 쉬워 보인다[24]. 또한, 미세한 시멘트 입자는 임플란트 주변의 온전한 결합 조직으로 들어가서 이물질 유형의 염증 반응을 일으킬 수 있는 것으로 보인다[21, 25].

사용되는 시멘트의 양은 잔존 시멘트를 최소화하도록 조절되어야 한다. 과도한 시멘트를 피하는 몇 가지 기술이 있다. 그 중의 하나는 레플리카를 이용하는 방법으로, 크라운의 내면을 복제한 레플리카를 제작하는 것이다[26]. 레플리카는 크라운 내부에 교합 인기재를 흘려넣어서 제작할 수 있다. 크라운에 시멘트를 로딩한 후에, 구강내에 합착 시키기 전에 크라운을 레플리카에 먼저 장착한다. 크라운 밖

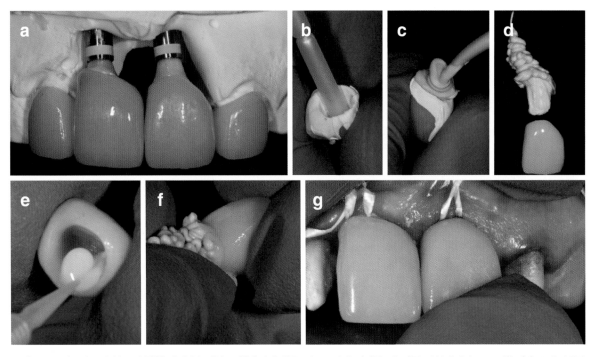

그림 5-8 임플란트 수복물의 합착 단계 (a) 작업 모형에서의 최종 지르코니아 지대주 및 리튬 디실리케이트 크라운, (b) 스페이서의 역할을 하고 세라믹 표면을 보호하기 위해 크라운의 내면에 테프론 테이프 코팅, (c) 합착 인덱스를 제작하기 위해 교합인기재 주입, (d) 재료가 경화된 후의 레플리카, (e) 크라운에 최종 합착재 도포, (f) 레플리카에 시멘트가 로딩된 크라운 장착 후 잉여 시멘트 제거, (g) 구강 내 장착하여 잔존 시멘트 최소화

으로 나온 잉여 시멘트를 제거한 다음에, 곧바로 구강내의 지대주에 크라운을 장착한다. 이 방법으로 임플란트 주위의 잔존 시멘트 양을 줄일 수 있다(그림 5-8).

또 다른 기술은 합착 전에 지대주 주위에 치은압배사 또는 수퍼플로스의 "두꺼운"부분을 삽입해두어 시멘트가 흘러 들어가는 것을 막는 것이다. 이 방법을 사용할 때는 각별한 주의가 필요한데, 코드나 치실의 조각이 임플란트 주위 열구에 잔존하게 될 경우에 오히려 또다른 염증원으로 작용할 수 있기 때문이다[27].

5. 완전 무치악

완전 무치악 환자는 치과 임플란트에 의해 지지되는 가철성 또는 고정성 치과 보철물로 수복될 수 있다.

"피개의치(overdenture)"라고도 불리는 implant-assisted complete removable dentures는 고정성 보철물을 고집하지는 않지만 총의치에 추가적인 유지력을 원하는 환자들에게는 좋은 옵션이 될 수 있다. 임플란트 피개의치는 적어도 2개의 임플란트에 의해 지지되는 다양한 디자인의 금속 바/클립(주조 또는 밀링)을 이용해 제작될 수 있다. 바를 사용하는 것의 대안으로 지난 몇 년간 인기를 얻은 방법은 피개의치 지대주(예: 볼 지대주, 로케이터 지대주)를 사용하는 것이다[28].

완전 무치악에서의 고정성 보철물은 섹션하여 만든 여러 개의 implant supported fixed partial dentures (FPDs)로 제작될 수도 있고, one-piece의 fixed-detachable full-arch prostheses (hybrid prostheses)로 제작될 수도 있다. 이러한 보철 유형은 치료 계획 수립 단계에서 환자의 상태를 세밀하게 평가한 후에 결정된다. 치료계획 수립 단계에서는 다음과 같은 항목들을 주의 깊게 평가하여야 한다:(1) 이용가능한 보철 수복 공간, (2) 대합치, (3) 임플란트 식립을 위한 잔존 골, (4) 보철전 연조직 또는 경조직 이식 필요성, (5) 환자의 경제적 상태[29].

임플란트지지 고정성 국소 의치(브릿지)를 이용한 풀아치 수복 치료는 일반적으로 악궁 당 3 또는 4 개의 브릿지 형태의 임플란트 보철로 이루어진다. 임플란트 브릿지를 이용한 재건에 적절한 골의 높이/폭은 필수적인데, 임상치관의 길이가 바뀌기 때문이다. 이것은 골 손실이 있는 경우, 크라운이 길어져 비심미적인 결과가 나타날 수도 있음을 의미한다. 이 수복 방법은 일반적인 임플란트 고정성 국소의치의 수복 원리와 방법과 같으며, 풀아치 수복을 위해서 대체로 6개에서 8개의 임플란트들이 식립된다.

6. 하이브리드 보철물

치조제의 수직적 흡수가 임상 치관의 정상 길이를 넘어설 때, 그리고 교합 간 공극이 15 mm 이상으로 클 때, 하이브리드 보철물이 사용될 수 있다. 하이브리드 보철물은 보통 치은의 윤곽을 보철적으로 재건해야 할 때 적용된다(그림 5-9).

1) 임플란트 식립

일반적으로 하이브리드 보철물을 지지하기 위해 4-6 개의 임플란트를 각 아치에 식립한다. 최후방 임플란트들은 보통 30°각도로 기울여 식립하여 해부학적 구조(상악동 또는 이신경)의 손상을 피하고, 원심 칸틸레버를 최소화 한다(그림 5-10)[30-35].

2) 요구되는 보철 수복 공간

하이브리드 보철물을 제작하기 위해서는 적절한 교합 간 거리가 필수적이다. 이것은 보철물의 금속 구조물, 아크릴 레진 및 인공치가 적절한 두께를 가질 수 있도록 하고, 환자가 미소를 지을 때 보철물과 치조제의 경계부위가 입술 라인보다 높게 위치하도록 하여 보이지 않게끔 해준다. 수직적 공간이 부족하면 보철물의 기계적 합병증도 발생될 수 있다. 최소한 악궁당 15 mm의 공간은 있어야 한다.

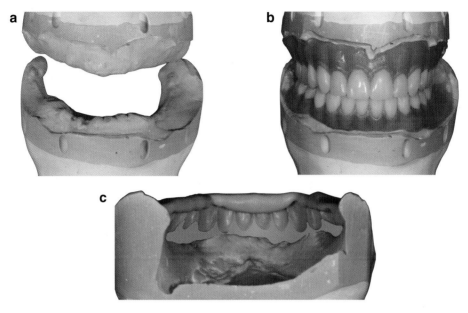

그림 5-9 하이브리드 보철물을 위한 진단 단계 (a) 완전 무치악 상태인 치조제, (b) 진단을 위한 치아 배열, (c) 진단 배열을 기준으로 치은형태의 핑크색 재료로 수복되어야 할 부위 파악

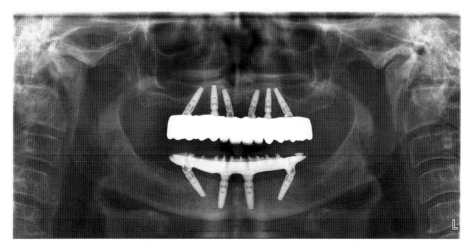

그림 5-10 All on 4® 임플란트의 경사 식립

적절한 공간이 없다면, 치조제 성형술을 이용하여 공간을 만들거나 수직 교합 고경(VDO)를 증가시켜 공간을 만들어야 한다[36-39].

3) 보철 디자인

하이브리드 보철물은 여러 재료를 사용하여 제작될 수 있다. 전통적으로, 금속 구조물(귀금속 또는 티타늄)이 임플란트 픽스쳐 또는 지대주에 연결되었다. 최근에는 이러한 구조물의 제작에 지르코니아도 사용되고 있다[40].

임플란트/지대주에 대한 프레임웍의 passive fit은 임플란트에 대한 스트레스를 방지하기 위해 중요하다. Passive fit을 달성하려면 정확한 인상 채득이 필수적이다. CAD/CAM 시스템을 사용한 프레임 워크 제작은 기공 단계에서 재료의 변형을 방지하는 데 도움이 될 수 있다[41-44]. 금속 구조물은 핑크색 아크릴 레진으로 이장되는데, 소실된 치조제 부분을 대체하여 치은 형태를 재건하고 의치용 인공치를 유지한다(그림 5-11).

아크릴 레진과 금속 구조물의 조합의 장점은 수리 및 수정이 용이한 것이다. 단점은 레진 인공치의 탈락/파절/마모 가능성, 3~5년 주기의 인공치 교체 필요성, 아크릴 레진의 착색, 세라믹에 비교했을 때 보다 높은 치태 침착률이다[45].

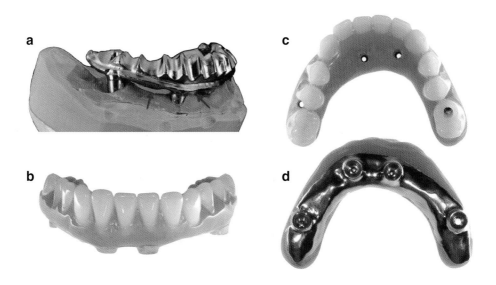

그림 5-11 (a) 티타늄 프레임웍, 위생 관리를 위한 high water design(화살표). 완성된 하이브리드 보철물:(b) 협면, (c) 교합면, (d) 조직면

하이브리드 보철물의 제조를 위한 보다 최근의 접근법은 단일구조 지르코니아를 사용하는 것이다. 단일구조 지르코니아 블록은 치은과 치아뿐만 아니라 임플란트 사이의 연조직과 닿는 면을 재건하기 위해 밀링으로 제작된다. 치은의 윤곽을 보다 심미적으로 재현하기 위해서 얇은 층의 포세린이 비니어링될 수도 있다(그림 5-12).

이 재료의 장점은 심미성이 뛰어나고, 치태가 적게 침착되며, 교합면 마모가 적고, 인공치 교체가 필요하지 않다는 것이다. 단점은 비니어링한 포세린의 chipping가능성과 보철물 프레임웍의 파절 시에 수리가 어렵다는 점이다[46-51].

어떤 종류의 재료를 사용하는 지와는 관계없이 하이브리드 보철물의 제작 원리는 유사하다. 보철물에서 치조제와 접촉하는 부분은 볼록해야 한다. 상악 보철물에서는 passive하거나 약간의 압력을 가하는(과도하지 않은) 조직 접촉이 공기 누출과 식편 압입을 방지한다.

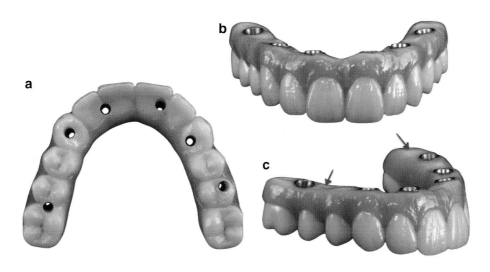

그림 5-12 단일구조 지르코니아 보철물 (a) 교합면, (b) 전면, (c) 협면, 조직면에서 ridge lap 형태를 피한 디자인(화살표)

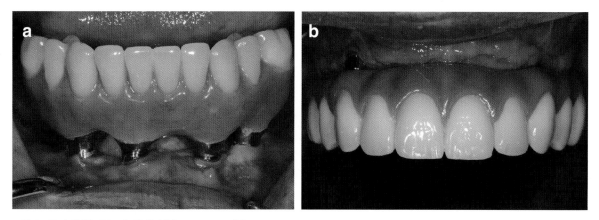

그림 5-13 보철물-치조제 경계부 (a) high water, (b) positive tissue contact

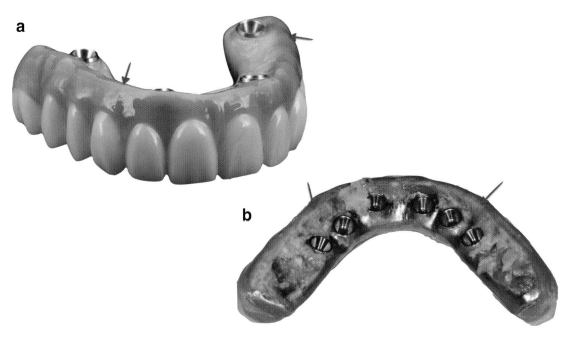

그림 5-14 (a) Modified ridge lap design. 보철물과 연조직의 경계부를 입술 속으로 숨길 수 있도록 연장된 형태의 협면(화살표).
(b) 협측 플레인지와 부적절한 위생관리로 인해 과도하게 치태가 침착된 모습(화살표)

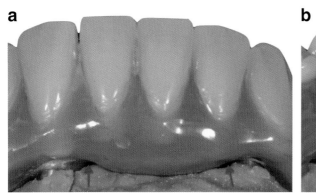 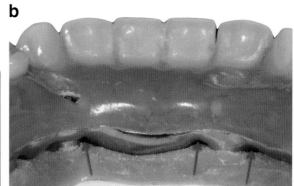

그림 5-15 Flossing notches(화살표) (a) 협면, (b) 설면

하악 보철물의 경우, 조직 접촉 부위는 수동 passive fit을 이루거나, high-water 디자인을 사용하여 환자의 구강 위생 관리를 용이하게 할 수 있다(그림 5-13)[37, 38].

안장형(ridge-lap) 디자인은 피해야 하는데, 위생관리가 어렵기 때문이다. 어떤 이유로든, 치조제의 협측에 보철물의 접촉이 필요하다면(예를 들면, 공기가 새는 것을 방지하거나, 미소선 상방으로 보철물 경계부를 가리기 위하여) 위생적인 modified ridge-lap디자인이 사용되어야 하며, 오목한 형태는 피해야 한다(그림 5-14).

"Flossing notches"를 임플란트 주위에 디자인하여, 치실, 슈퍼플로스, 치간 칫솔 같은 것을 사용하여 위생 관리하기 용이하도록 제작하여야 한다(그림 5-15).

4) 유지 관리

적절한 유지 관리 단계는 하이브리드 보철 수복의 장기적인 성공에 중요하다. 이러한 유형의 보철물로 치료를 받은 환자는 자신이 새로운 자연치 세트를 얻은 것은 아님을 알아야 하고, 또한 다른 방식의 구강 위생 관리와 유지 보수 절차가 필요하다는 것도 알아야 한다.

(1) 자가 관리

이러한 보철물에 대한 자가 구강 위생 관리는 하루에 두 번 이상 시행되어야 한
다. 보철물을 장착할 때 치과의사가 위생관리 방법을 교육해야 한다. 환자 각각의
상황에 맞도록 맞춤형 구강 위생 관리 계획이 설명해야 하며, 치실, 치간 칫솔, 워
터 플로서, 수동 또는 전동 칫솔같은 위생 도구들의 사용방법도 포함해야 한다.

올바른 개인 위생 관리는 보철물의 모든 표면에서 치태를 완전히 제거해야 한
다. 수동 또는 전동 칫솔을 사용하여 보철물의 인공치와 치은 협측, 교합측 및 설
측 부위를 청소할 수 있다. 치실, 치간 칫솔 및 워터 플로서를 사용하여 조직면의
임플란트 사이 부위에서 음식물 잔해와 바이오 필름을 제거 할 수 있다. 각 임플
란트 주위에서 두꺼운 치실을 사용하여 구두에 광내는 동작으로 청소를 하면 오
목한 표면을 포함하지 않도록 올바르게 디자인된 하이브리드 보철물에서는 적절
히 바이오 필름을 제거할 수 있다(그림 5-16).

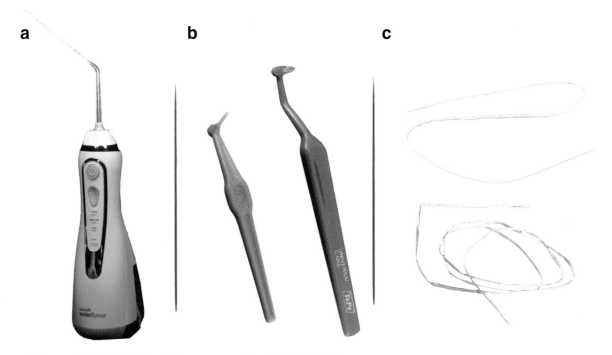

그림 5-16 자가 위생 관리 기구 (a) Water flosser, (b) 90° 치간 칫솔, (c) floss threaders

(2) 치과에서의 관리

하이브리드 보철물의 올바른 유지 관리를 위해서는 엄격한 리콜이 중요하다. 환자는 적어도 6 개월마다 치과를 방문해야 한다. 장착 후 첫 해 동안은 방문기간을 단축하는 것이 좋다(3-4개월마다). 적절한 자가 위생 관리를 실천할 수 없는 환자에 대해서는 이 짧은 일정을 계속 유지해야한다.

환자의 내원 시마다 임상의는 임플란트와 보철물을 세밀하게 검사해야 한다. 임플란트 주위 점막염 또는 임플란트 주위염(골소실, 탐침 시 출혈, 화농성)의 징후를 발견할 수 있도록 플라스틱 임플란트 탐침을 사용하여 임플란트를 프로빙해야 한다. 이러한 징후가 관찰되면 임플란트 주위 질환의 진행을 방지하기 위해 추가 치료를 진행해야 한다.

보철물은 정기적으로 전문적으로 청소 되어야 한다. 보철물을 구강내에서 제거해내어 초음파 장치로 청소해야 한다. 필요한 경우, 표면을 다시 만들어 형태를 개선하거나 연마할 수도 있다. 보철물의 철거 및 전문적인 청소를 위한 정해진 시간 간격은 없다. 시간 간격은 임상의의 판단과 청소 또는 수리의 필요성에 달려 있다. 구강 위생이 충분한 환자의 경우에도 1 년에 한 번 이상은 철거하여 청소하는 것이 좋다. 환자가 적절한 자가 위생 절차를 수행 할 수 없거나 위생 관리에 대한 의지가 없는 경우는 보다 빈번한 청소가 필요하다. 보철물을 철거 후 장착할 때에는 적절한 토크 값을 제공하고 나사 풀림 / 파절을 방지하기 위해 새 보철 나사(prosthetic screw) 세트를 사용해야 한다[52-57].

Reference

1. de Groot RJ, Oomens M, Forouzanfar T, Schulten E. Bone augmentation followed by implant surgery in the edentulous mandible: a systematic review. J Oral Rehabil. 2018;45(4):334-43.

2. McAllister BS, Haghighat K. Bone augmentation techniques. J Periodontol. 2007;78(3):377-96.

3. Geurs NC, Vassilopoulos PJ, Reddy MS. Soft tissue considerations in implant site development. Oral Maxillofac Surg Clin North Am. 2010;22(3):387-405. vi-vii

4. Arfai NK, Kiat-Amnuay S. Radiographic and surgical guide for placement of multiple implants. J Prosthet Dent. 2007;97(5):310-2.

5. Higginbottom FL, Wilson TG Jr. Three-dimensional templates for placement of root-form dental implants: a technical note. Int J Oral Maxillofac Implants. 1996;11(6):787-93.

6. Worthington P, Rubenstein J, Hatcher DC. The role of cone-beam computed tomography in the planning and placement of implants. J Am Dent Assoc. 2010;141(Suppl 3):19s-24s.

7. The glossary of prosthodontic terms: ninth edition. J Prosthet Dent. 2017;117(5s):e1-e105.

8. Hinds KF. Custom impression coping for an exact registration of the healed tissue in the esthetic implant restoration. Int J Periodontics Restorative Dent. 1997;17(6):584-91.

9. Lee JH. Intraoral digital impression for fabricating a replica of an implant-supported interim prosthesis. J Prosthet Dent. 2016;115(2):145-9.

10. Chee WW. Provisional restorations in soft tissue management around dental implants. Periodontology 2000. 2001;27:139-47.

11. Tarnow DP, Magner AW, Fletcher P. The effect of the distance from the contact point to the crest of bone on the presence or absence of the interproximal dental papilla. J Periodontol. 1992;63(12):995-6.

12. Tarnow DP, Cho SC, Wallace SS. The effect of inter-implant distance on the height of inter-implant bone crest. J Periodontol. 2000;71(4):546-9.

13. Kan JY, Rungcharassaeng K, Umezu K, Kois JC. Dimensions of peri-implant mucosa: an evaluation of maxillary anterior single implants in humans. J Periodontol. 2003;74(4):557-62.

14. Kourtis S, Damanaki M, Kaitatzidou S, Kaitatzidou A, Roussou V. Loosening of the fixing screw in single implant crowns: predisposing factors, prevention and treatment options. J Esthet Restor Dent. 2017;29(4):233-46.

15. Gracis S, Michalakis K, Vigolo P, et al. Internal vs. external connections for abutments/ reconstructions: a systematic review. Clin Oral Implants Res. 2012;23(Suppl 6):202-16.

16. Berberi A, Maroun D, Kanj W, Amine EZ, Philippe A. Micromovement evaluation of original and compatible abutments at the implant-abutment Interface. J Contemp Dent Pract. 2016;17(11):907-13.

17. Lazzara RJ, Porter SS. Platform switching: a new concept in implant dentistry for controlling postrestorative crestal bone levels. Int J Periodontics Restorative Dent. 2006; 26(1):9-17.

18. Vigolo P, Givani A. Platform-switched restorations on wide-diameter implants: a 5-year clinical prospective study. Int J Oral Maxillofac Implants. 2009;24(1):103-9.

19. Al-Nsour MM, Chan HL, Wang HL. Effect of the platform-switching technique on preservation of peri-implant marginal bone: a systematic review. Int J Oral Maxillofac Implants. 2012;27(1):138-45.

20. Wilson TG Jr. The positive relationship between excess cement and peri-implant disease: a prospective clinical endoscopic study. J Periodontol. 2009;80(9):1388–92.

21. Korsch M, Walther W. Peri-Implantitis associated with type of cement: a retrospective analysis of different types of cement and their clinical correlation to the Peri-implant tissue. Clin Implant Dent Relat Res. 2015;17(Suppl 2):e434–43.

22. Dalago HR, Schuldt Filho G, Rodrigues MA, Renvert S, Bianchini MA. Risk indicators for peri-implantitis. A cross-sectional study with 916 implants. Clin Oral Implants Res. 2017;28(2):144–50.

23. Wilson TG Jr, Valderrama P, Burbano M, et al. Foreign bodies associated with peri-implantitis human biopsies. J Periodontol. 2015;86(1):9–15.

24. Ivanovski S, Lee R. Comparison of peri-implant and periodontal marginal soft tissues in health and disease. Periodontology 2000. 2018;76(1):116–30.

25. Burbano M, Wilson TG Jr, Valderrama P, et al. Characterization of cement particles found in peri-implantitis-affected human biopsy specimens. Int J Oral Maxillofac Implants. 2015;30(5):1168–73.

26. Wadhwani C, Pineyro A. Technique for controlling the cement for an implant crown. J Prosthet Dent. 2009;102(1):57–8.

27. Salem D, Alshihri A, Levin L. Peri-implantitis induced by a retained retraction cord. Quintessence Int. 2014;45(2):141–3.

28. Emami E, Michaud PL, Sallaleh I, Feine JS. Implant-assisted complete prostheses. Periodontol 2000. 2014;66(1):119–31.

29. Gallucci GO, Avrampou M, Taylor JC, et al. Maxillary implant-supported fixed prosthesis: a survey of reviews and key variables for treatment planning. Int J Oral Maxillofac Implants. 2016;31:s192–7.

30. Malo P, de Araujo Nobre M, Lopes A, Moss SM, Molina GJ. A longitudinal study of the survival of all-on-4 implants in the mandible with up to 10 years of follow-up. J Am Dent Assoc. 2011;142(3):310–20.

31. Malo P, Rangert B, Nobre M. All-on-4 immediate-function concept with Branemark system implants for completely edentulous maxillae: a 1-year retrospective clinical study. Clin Implant Dent Relat Res. 2005;7(Suppl 1):S88–94.

32. Malo P, Rangert B, Nobre M. "All-on-four" immediate-function concept with Branemark system implants for completely edentulous mandibles: a retrospective clinical study. Clin Implant Dent Relat Res. 2003;5(Suppl 1):2–9.

33. Aparicio C, Perales P, Rangert B. Tilted implants as an alternative to maxillary sinus grafting: a clinical, radiologic, and periotest study. Clin Implant Dent Relat Res. 2001;3(1):39–49.

34. Krekmanov L, Kahn M, Rangert B, Lindstrom H. Tilting of posterior mandibular and maxillary implants for improved prosthesis support. Int J Oral Maxillofac Implants. 2000;15(3):405–14.

35. Eliasson A, Palmqvist S, Svenson B, Sondell K. Five-year results with fixed complete-arch mandibular prostheses supported by 4 implants. Int J Oral Maxillofac Implants. 2000;15(4):505–10.

36. Carames J, Tovar Suinaga L, Yu YC, Perez A, Kang M. Clinical advantages and limitations of monolithic zirconia restorations full arch implant supported reconstruction: case series. Int J Dent. 2015;2015:392496.

37. Drago C, Howell K. Concepts for designing and fabricating metal implant frameworks for hybrid implant prostheses. J Prosthodont. 2012;21(5):413–24.

38. Sadowsky SJ. The implant-supported prosthesis for the edentulous arch: design considerations. J Prosthet Dent. 1997;78(1):28–33.

39. English CE. Critical AP spread. Implant Soc. 1990;1(1):2–3.

40. Gonzalez J. The evolution of dental materials for hybrid prosthesis. Open Dent J. 2014;8:85–94.

41. White SN, Miklus VG, McLaren EA, Lang LA, Caputo AA. Flexural strength of a layered zirconia and porcelain dental all-ceramic system. J Prosthet Dent. 2005;94(2):125–31.

42. Riedy SJ, Lang BR, Lang BE. Fit of implant frameworks fabricated by different techniques. J Prosthet Dent. 1997;78(6):596–604.

43. Jemt T, Lie A. Accuracy of implant-supported prostheses in the edentulous jaw: analysis of precision of fit between cast gold-alloy frameworks and master casts by means of a three-dimensional photogrammetric technique. Clin Oral Implants Res. 1995;6(3):172–80.

44. Parel SM. Modified casting technique for osseointegrated fixed prosthesis fabrication: a preliminary report. Int J Oral Maxillofac Implants. 1989;4(1):33–40.

45. Goodacre CJ, Kan JY, Rungcharassaeng K. Clinical complications of osseointegrated implants. J Prosthet Dent. 1999;81(5):537–52.

46. Poggio CE, Ercoli C, Rispoli L, Maiorana C, Esposito M. Metal-free materials for fixed prosthodontic restorations. Cochrane Database Syst Rev. 2017;12:Cd009606.

47. Tartaglia GM, Maiorana C, Gallo M, Codari M, Sforza C. Implant-supported immediately loaded full-arch rehabilitations: comparison of resin and zirconia clinical outcomes in a 5-year retrospective follow-up study. Implant Dent. 2016;25(1):74–82.

48. Cardelli P, Manobianco FP, Serafini N, Murmura G, Beuer F. Full-arch, implant-supported monolithic zirconia rehabilitations: pilot clinical evaluation of Wear

against natural or composite teeth. J Prosthodont. 2016;25(8):629–33.

49. Abdulmajeed AA, Lim KG, Narhi TO, Cooper LF. Complete-arch implant-supported monolithic zirconia fixed dental prostheses: a systematic review. J Prosthet Dent. 2016;115(6):672–77.e1.

50. Venezia P, Torsello F, Cavalcanti R, D'Amato S. Retrospective analysis of 26 complete-arch implant-supported monolithic zirconia prostheses with feldspathic porcelain veneering limited to the facial surface. J Prosthet Dent. 2015;114(4):506–12.

51. Moscovitch M. Consecutive case series of monolithic and minimally veneered zirconia restorations on teeth and implants: up to 68 months. Int J Periodontics Restorative Dent. 2015;35(3):315–23.

52. Bidra AS, Daubert DM, Garcia LT, et al. Clinical practice guidelines for recall and maintenance of patients with tooth-borne and implant-borne dental restorations. J Prosthodont. 2016;25(Suppl 1):S32–40.

53. Bidra AS, Daubert DM, Garcia LT, et al. A systematic review of recall regimen and maintenance regimen of patients with dental restorations. Part 2: implant-borne restorations. J Prosthodont. 2016;25(Suppl 1):S16–31.

54. de Araujo Nobre MA, Malo PS, Oliveira SH. Associations of clinical characteristics and interval between maintenance visits with peri-implant pathology. J Oral Sci. 2014;56(2):143–50.

55. Drago C, Gurney L. Maintenance of implant hybrid prostheses: clinical and laboratory procedures. J Prosthodont. 2013;22(1):28–35.

56. Katsoulis J, Brunner A, Mericske-Stern R. Maintenance of implant-supported maxillary prostheses: a 2-year controlled clinical trial. Int J Oral Maxillofac Implants. 2011;26(3):648–56.

57. Corbella S, Del Fabbro M, Taschieri S, De Siena F, Francetti L. Clinical

evaluation of an implant maintenance protocol for the prevention of peri-implant diseases in patients treated with immediately loaded full-arch rehabilitations. Int J Dent Hyg. 2011;9(3):216–22.

CHAPTER

임플란트 주위 질환의 병인

6

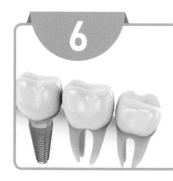

6

임플란트 주위 질환의 병인

Danieli C. Rodrigues

핵심 정리

- 임플란트의 실패는 다인성 요소에 의해 발생한다.
- 조기 실패(Early failures)는 다음과 같은 원인으로 발생할 수 있다.
  - 감염(Infection)
  - 외상(Trauma)
  - 잘못된 치료계획 및 술식
- 지연 실패(Late failures)는 다음과 같은 원인으로 발생할 수 있다.
  - 감염(Infection)
  - 외상(Trauma)
  - 이물반응(Foreign body reaction)
- 임플란트 표면
  - 티타늄(Ti)
  - 지르코니아(ZrO_2)
  - 티타늄-지르코늄(TiZr)

1. 치과 임플란트: 성공과 실패

치아 수복을 위해 치과 임플란트가 사용되는 경우가 지난 몇 년 동안 크게 증가하였다. 이 의료기기의 인기는 높은 성공률(~95%), 예지성 및 현재 사용 가능한 여러 표면 처리 및 형상으로 개선된 디자인의 결과이다. 치과 임플란트의 장기적 성공은 표면이 연조직과 경조직이 잘 융합되는 것, 예를 들어 임플란트 안정성과 기능을 보장하는 골융합(osseointegration) 등에 따라 달라진다[1, 2]. 대부분의 시스템이 잘 작동했으나, 최근 몇 년 동안 합병증과 실패한 임플란트 수가 증가했다[3, 4]. 이러한 합병증은 통증, 불편함을 유발하고 결과적으로 실패로 이어질 수 있다. 또한, 이러한 상태를 치료하는 것은 환자에게 건강상의 부담과 경제적 부담이 발생할 수 있다. 치과 임플란트 실패는 1.9%와 11% 사이로 보고되었다[5]. 미국에서는 이미 3백만 명의 사람들이 임플란트로 수복하였고, 그 수가 매년 50만 명씩 증가하고 있다[6]. 수술 술식(surgical skills), 환자 건강(patient health), 임플란트 디자인(implant design), 골절제(osteotomy) 및 기계적 하중(mechanical

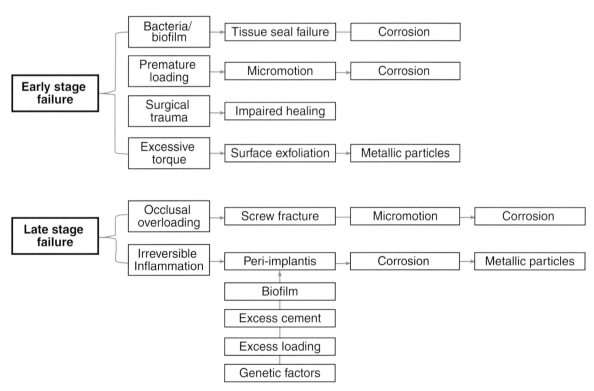

그림 6-1 임플란트 실패 요약. 개별 사건 또는 각각의 사건이 시너지 효과로 인해 임플란트 실패가 발생할 수 있다

loading)과 같은 요인은 임플란트 성공 또는 실패에 기여하는 것으로 알려진 고전적인 요소이다. 따라서 임플란트 실패는 다수의 개별적(individual) 또는 동반 상승(synergistic) 사건에 의해 유발 될 수 있으며[6-9], 문헌에서 조기 또는 지연 단계 실패로 분류되어 있다(그림 6-1)[3, 10, 11].

2. 조기 실패(early stage failure)

초기 치유 과정에서 방해를 받으면 보철물을 부착하기 전에 조기 임플란트 합병증이 발생하여 골 유착을 달성하지 못할 수 있다. 임플란트의 조기 상실은 박테리아 오염(초기 바이오 필름 접착), 조기 하중(premature loading), 일차 안정성 부족(lack of primary stability), 치유 장애(impaired healing) 및 과도한 외과적 외상(excessive surgical trauma) 등이 50% 이상을 차지하는 것으로 보고 되었다[3, 11, 12]. Manor 등은 임플란트가 실패한 194명의 환자를 대상으로 한 후향적 연구에서 환자의 절반이 골유착 부족(조기 실패의 73%)이 있었음을 보고하였다[3]. 이들은 치태 지수가 높게 나타났고[13] 감염에 영향을 받은 임플란트는 더 높은 조기 실패율을 보였다[14]. 세균은 조기 합병증의 주요 원인이 된다. 세균 오염은 임플란트 식립 직후에 발생할 수 있으며 임플란트 표면의 화학적 처리나 거칠기에 관계없이 모든 임플란트 재료에서 발생하는 것으로 관찰되었다[2, 15]. 최근의 연구에 따르면 임플란트 표면 성능은 인간 치은 섬유모세포와 바이오필름 사이의 "표면에 대한 경쟁"에 달려 있다(그림 6-2)[2]. 이러한 초기 단계 사건은 연쇄상 구균 및 방선균 종과 같은 초기 균락(colonizer)의 표면 부착에 의해 시작될 수 있으며, 바이오필름이 형성되면 이들은 임플란트 경부(implant neck)에서 연조직의 밀봉을 억제한다[16, 17]. 이러한 초기 균락이 부착하면 Porphyromonas gingivalis, Aggregatibacter actinomycetemcomitans, Fusobacterium nucleatum 등과 같은 병원성 후기 균락의 성장에 유리한 혐기성 조건을 제공하는 바이오필름이 형성되기 시작한다. 이

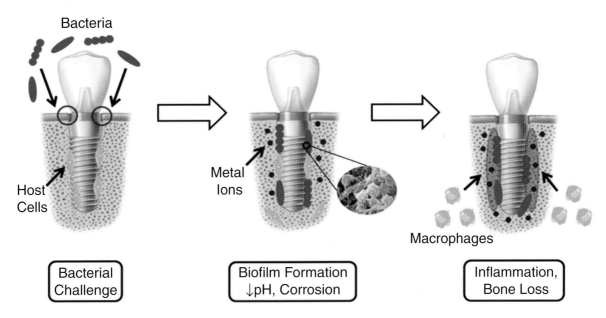

Bacteria

Host
Cells

Metal
Ions

Macrophages

Bacterial
Challenge

Biofilm Formation
↓pH, Corrosion

Inflammation,
Bone Loss

그림 6-2 임플란트 식립 후 기계적 요소와 생물학적 요소의 동시 상호 작용으로 치유와 통합이 이루어진다. 세균 및 숙주 세포는 표면 균락화를 위해 서로 경쟁한다. 초기 바이오필름이 임플란트 표면에 부착되면, 바이오필름과 임플란트 표면 사이에 미세 환경의 공기가 변화하고, 이에 따라 pH가 더 낮아진다. 이 산성 pH(틈새) 부위는 금속을 부식시키고, 결과적으로 금속 이온을 생성하여 부작용을 유발하고 궁극적으로 골 소실을 일으킬 수 있는 만성 염증을 유발하게 된다. 따라서 치유를 위한 중요한 요소는 연조직 폐쇄 조건을 촉진하는 것이다.

러한 공격적인 병원체는 염증과 골 흡수를 유발할 수 있다[18, 19]. 이러한 관찰은 초기 세균의 부착을 줄이거나 표면에서의 항균 활성을 증진시키기 위한 치과 임플란트 표면 처리를 조사하기 위한 많은 연구를 시작되었다[20-22]. 치유 중 의도하지 않은 로딩과 같은 다른 요소로 인해 일차 안정성에 악영향을 주는 미세 움직임은 임플란트 골융합을 방해한다. 과도한 외과적 외상은 장기간 만성 염증 반응을 유발하여 조직 치유 과정 및 임플란트 골융합을 방해 할 수 있다.

3. 지연 실패(Late Stage Failure)

후기 단계의 합병증은 골 유착 계면의 파손과 관련이 있으며, 일반적으로 임플란트로 수복되고 기능적 하중이 가해진 후에 일어난다[23]. 따라서 교합 과부하(occlusal overloading), 나사 파절(screw fractures) 및 임플란트 주위염(peri-implantitis)은 지연 실패의 주요 원인으로 간주된다[24-26]. Fretwurst 등에 의한 최근의 리뷰 논문에서, 임플란트 주위 골소실로 이어지는 잠재적인 메커니즘에는 미세 움직임(micromovements), 미생물 바이오필름, 잔존 시멘트, 부적절한 임플란트 식립위치(implant malposition), 삽입 과정에서 떨어져 나온 잔해 입자 및 생물학적 부식(biocorrosion)이 포함되었다[27]. 따라서 지연 실패의 합병증은 두 가지 주요 그룹으로 분류할 수 있다. (1) 기계적으로 유발되거나 (2) 생물학적으로 (염증) 유발되지만, 두 가지 요소의 시너지 효과가 실패의 주요 메커니즘으로 간주될 수도 있다. 명확한 설명을 위해, 이 병인 그룹은 별도로 논의 될 것이다. 기계적으로 유발된 사건과 관련하여, 골 소실이 임플란트 파절보다 먼저 발생한다는 것이 일반적인 의견이다. 일반적으로 임플란트 로딩에 따른 높은 응력과 변형으로 인한 골 계면으로의 피로(fatigue)는 골의 미세 손상(micro-damage)을 초래할 수 있으며, 이는 임플란트 움직임(micromotion)과 풀림(loosening)을 유발할 수 있다[28]. 또한, 골-임플란트 계면을 따라서 발생한 미세 손상은 보철 구성 요소 또는 임플란트 본체의 파절을 초래할 수 있다. 따라서, 임플란트 설계, 상부 구조 설계, 재료 결함, 부적절한 상부 구조의 적합(fit), 교합 및 임플란트 지지력(bearing force), 이갈이(bruxism), 임플란트 크기, 금속 피로 및 교합 과부하 등이 임플란트의 기계적 실패를 유발할 수 있다. 치과 임플란트의 표면에 영향을 줄 수 있는 이러한 여러 사건 중에는 식립 과정에서 마모되는 금속 입자가 있다. 이러한 금속 입자는 최근 잠재적인 실패 메커니즘으로 논의되었다. 임플란트 식립 시 발생하는 마찰력은 보호적인 금속 산화물층을 손상시킬 가능성이 있으므로 임플란트 주변 조직에 증착된 금속의 마모 및 이온 발생에 대한 감수성을 증가시켜 조기 및 지연 면역 반응을 유발할 수 있다.

이전의 실험(in vitro) 및 생체 내(in vivo) 연구에서 임플란트 식립 동안 입자 생성 사례를 보고했지만, 이러한 관찰은 다른 임플란트 표면, 골질(생체 내, 동물 대 시뮬레이션 된 뼈 물질) 및 서로 다른 임플란트 거칠기에서 모순된 결과를 보여주었다 [29-32]. 예를 들어, 생체 내 연구에 따르면 플라즈마 분사를 하여 더 거친 표면의 임플란트는 식립과정에서 입자 생성을 증가시켰음을 보여주었다[33, 34]. 생체 외 연구에서 티타늄 임플란트 표면에 대한 식립 절차의 영향을 입증하기 위해 다양한 밀도의 뼈 시뮬레이션 재료를 사용하였다. 식립 후, 임플란트 및 뼈 시뮬레이션 재료는 분말 X-선 회절 기술(powder X-ray diffraction technique)로 조사되었는데, 이는 임플란트 식립 과정에서 사용된 뼈 시뮬레이션 재료 밀도와 상관없이 조기 금속 박리 및 파편을 초래하지 않음을 보여 주었다[32]. 마지막으로 교합 과부하는 뼈 및 임플란트 미세 골절과 관련이 있을 뿐만 아니라 임플란트 주위염으로 이어지는 염증 반응을 유발하는 것으로 관찰되었다. 이전 장에서 언급했듯이 임플란트 주위염은 임플란트 주위 뼈가 지속적으로 소실되어 결국 실패로 이어질 수 있다. 이 심각한 임상 상태는 임플란트의 15-56%에 영향을 미치는 것으로 보고되었다[10]. 따라서, 임플란트 주위염은 이 질환의 근본 메카니즘을 이해하고, 예방하며, 골융합을 향상시켜 지연 골 소실 가능성을 완화시킬 수 있는 대체 생체 물질/표면의 개발에 중점을 두고 현재 많은 연구가 이루어지고 있다. Academy of Osseointegration (AO)에 따르면, 식립된 임플란트의 약 50%가 임플란트 주위염의 전조(precursor)인 임플란트주위 점막염에 걸리게 된다. 유발 요인은 세균 바이오필름, 잔존 시멘트, 과도한 교합 스트레스, 흡연, 유전적 요인, 부식 및 이러한 사건들 간의 상호 작용과 관련이 있다[4, 10]. Wilson 등은 잔존 시멘트와 임플란트 주위염의 발달 사이에 서로 관계가 있음을 초기에 확립하였다[35]. 후속 연구인 임플란트 주위 연조직 조직 검사에서 시멘트 입자가 염증성 세포로 둘러싸인 것이 관찰되었다[12]. 조직에 남아있는 검출되지 않은 잔존 시멘트는 연조직 염증 과정을 유발하는 자극제로서 작용할 수 있다. 최근의 세 가지 실험 연구에서,

서로 다른 치과용 시멘트 조성, 세팅 시간 및 다른 조성의 잔존 시멘트와 티타늄 표면의 접촉은 가상의 구강 환경 조건에서 금속의 숙주 세포 반응 및 전기 화학적 거동에 영향을 미친다는 것이 입증되었다[36-38]. 결과는 잔존 시멘트의 존재뿐만 아니라 화학적 조성도 임플란트 주위염 발생에 기여할 수 있음을 나타내었다. 그럼에도 불구하고, 세균성 바이오필름으로 인한 염증은 질병의 주요 원인으로 간주된다[39].

치과 임플란트의 세균 부착은 표면의 전기 화학적 환경을 변화시켜 산화층의 파괴를 초래할 수 있다고 발표된 연구가 있다(그림 6-2)[12, 40-44]. 최근 실험 연구에서 60일 동안 Streptococcus mutans가 있는 용액에 티타늄 임플란트가 지속적으로 노출되었을 때, 티타늄 부식과 금속 이온 발생의 증거가 발견되었고 이와 함께 표면 형태에 중대한 변화를 일으킨다는 것이 밝혀졌다[44]. 한 인간의 생검 연구에서 치과 시멘트뿐만 아니라 티타늄 입자도 조직에 다수 발견되는 이물질로 발표되었다[12]. 임플란트 주위염 환자에서 회수한 티타늄 임플란트에 대한 후향적 연구에서는 표면 점부식(pitting), 식각(etching), 변색(discoloration) 및 균열(cracking)과 같은 부식(corrosion) 특성의 증거로 후기 균락(colonizer)에 의해 생성될 수 있는 손상을 보여 주었다[41, 42]. 따라서, 세균의 균락화 후 표면에서 관찰된 손상을 설명하기 위한 두 가지 메커니즘이 제안 될 수 있다. (1) 초기 균락화 세균은 임플란트 표면에 부착하여 균락을 형성하고, 대사 산물로서 유기산을 방출하여 국소적 환경에서의 pH를 감소시켜 금속 이온을 용해(metal ion dissolution) (2) 임플란트 표면에 바이오필름 부착[44]. 바이오필름은 임플란트 계면 내에서 국소적인 틈새(localized crevice) 부위를 형성하는데, 이 부위는 산소 부족으로 인해 pH를 더욱 낮추고 금속 표면 공격을 유도한다. 이 과정에서 발생하는 금속 이온의 방출은 그림 6-2에 나와있는 것처럼 염증반응과 골소실을 유발할 수 있다. 바이오필름 부착으로 인한 산화막 구조의 변화는 면역 세포 반응에 영향을 미쳐 연조직 및 경조직의 형성과 리모델링에 영향을 주는 것으로 생각된다.

4. 재료 선택과 치과 임플란트의 혁신적인 미래

재료 선택은 수복되는 생물학적 구성 요소(크라운, 지대주, 임플란트)의 구조와 기능에 따라 달라진다. 금속과 세라믹은 40년 동안 하중지지 구성 요소를 위한 주요 재료로 선택되어 왔다[45]. 여기에, 골내(endosseous) 치과 임플란트 디자인에 사용되는 재료에 대한 간략한 개요를 제시하고자 한다.

티타늄은 우수한 기계적 특성, 생체 적합성 및 내식성으로 인해 치과 임플란트 설계에 가장 많이 사용되는 재료이다[46, 47]. 특히, 상업적으로 순수한 형태의 티타늄(cpTi)은 우수한 물리적, 화학적 특성의 조합으로 인해 치과용 임플란트 설계에서 "최적 표준(gold standard)"이다. 스테인레스 스틸 또는 CoCrMo 합금과 같은 다른 금속 시스템과 비교할 때, cpTi의 영률(탄성 계수, 강성)은 상악 및 하악의 피질골에 가까워 인간의 조직에 대한 기계적 적합성이 더 우수하다. 또한 산소가 풍부한 환경에서 수동 산화막(TiO_2)을 자발적으로 형성 또는 개질(reform)하여 뛰어난 생체 적합성을 보여준다. 이는 이 금속이 높은 반응성을 가지는 본래의 특성 때문인데, 이로 인해 티타늄은 산소에 노출 될 때 부동화(passivation, 산화층의 형성/개질)를 겪게 된다. 이 자연 상태의 산화층은 지속적인 금속 용해 및 부식에 대한 장벽으로 작용한다. 또한, 산화층은 표면을 거칠게 만들어 표면의 생물학적 광화에 필수적이며 칼슘과 인산 이온의 결합(incorporation)을 가능하게 한다[48]. 그러나 몇몇 실험적, 임상적 관찰에 따르면, 가장 부식에 강한 금속조차도 임플란트 식립 기간에 부식 공격을 받을 수 있는 것으로 나타났다[49]. 이전의 후향적 임플란트 회수(retrieval) 연구에서는 임플란트 식립 기간에 관계없이 티타늄 임플란트의 표면에서 촉발될 수 있는 부식 과정의 심각성을 보여주었다[41]. 재료의 표면 특성을 향상시키기 위해 일련의 표면 처리 기술이 제안되었다. 표면 처리에는 산화막 두께 및 내식성을 높이기 위한 양극 산화(anodization), 골 성장을 유도하기 위한 플라즈마 스프레이 하이드록시 아파타이트(HAP) 코팅(plasma spraying hydroxyapatite (HAP) coatings), 표면 조도를 높이기 위한 그릿 블라스팅(gritblasting), 골과 임플란트 접촉을 개선하기 위한 산 에칭(acid etching), 미세 다공성 구조(microporous structures) 생성을 위한 레이저 처리 및 다양한 항균 코팅(antimicrobial coatings)이 포함된다[21, 22].

티타늄의 생물학적, 기계적 및 물리-화학적 특성을 개선하기 위해 사용된 다른 방법은 알루미늄(Al), 바나듐(V), 니오븀(Nb) 및 지르코늄(Zr)을 포함하는 합금 원소의 혼입이다. 연구된 다양한 조성 중에서, 주로 15% 지르코늄 조성을 갖는 티타늄-지르코늄 합금(TiZr)은 티타늄보다 실험 및 생체 내 둘 다 생체 적합성 조건을 유지하면서 부식 민감성(corrosion susceptibility) 감소, 기계적 강도(mechanical strength) 향상, 피로 내구성 한계(fatigue endurance limit) 증가 및 미세 경도(microhardness) 증가 등의 탁월한 특성을 보여주었다[50-54]. 특히, TiZr 표면에서 중간엽 줄기 세포(MSC)의 반응이 평가되었다[52, 55]. Sista 등에 따르면, MC3T3-E1 전골모세포(pre-osteoblast)의 초기 세포 접착(adhesion), 증식(proliferation) 및 분화(differentiation)는 티타늄에 비해 TiZr이 비슷하거나 더 크며, TiNb 합금보다 현저히 크게 나타나 생체 내 골 유착능이 뛰어난 것으로 확인되었다[55]. TiZr 임플란트는 토끼 모델에서 임플란트 식립 12주 후 티타늄과 비슷한 골-임플란트 접촉 및 조직학적 결과를 보여주었다[53]. Gomez-Florit 등은 티타늄보다 TiZr에서 인간 치은 섬유 모세포(HGF)에 의해 발현되는 단백질(ITGB3 및 MMP1)이 높게 발현됨을 발견하였는데, 이들 단백질은 세포 부착 및 세포 외 기질 리모델링을 담당하는 기능을 한다[52]. 유사하게, 다른 연구는 TiZr이 전통적인 티타늄 임플란트 시스템과 비교하여 유사한 세포 반응을 갖는 것으로 나타났다[56]. 이 물질이 최근 소개되었으므로 제한된 임상 데이터를 이용할 수 있어 장기적 결과는 아직 지켜보아야 한다.

지르코니아(ZrO_2)는 파괴 인성(fracture toughness), 마찰학적 특성(tribological properties), 심미적 외관(esthetic appearance), 내식성(corrosion-resistant nature) 및 골융합 능력(osseointegrative ability)으로 인해 티타늄계 치과 임플란트를 대체할 후보로 부상했다. 초기에 이 물질은 금속성 지대치에 대한 대안으로 고려되

는데[57], 치은 조직 바이오타입(biotype)이 얇은 환자에서 금속성 지대치를 사용할 경우 푸른 외형을 보여준다는 임상 연구가 보고되었기 때문에 ZrO_2가 이 심미적 영역의 외관을 개선하는 것으로 제안되었다[58]. 현재의 연구는 티타늄 임플란트와 비교하여 이 물질의 생체 적합성 및 전반적으로 유사한 물리적 성능에 대해 연구되고 있다. 그러나 일체형(one-piece) ZrO_2 임플란트가 식립 5년 후 생존율이 95%가 된다는 보고가 있음에도 불구하고 여러 문헌에서는 여전히 ZrO_2를 사용하는 것에 대하여 이견이 있음을 보여주고 있다[59-64]. ZrO_2는 티타늄과 마찬가지로 산화물 층을 가지고 있으며, 실제로 전체 물질은 산화물 구조로 구성된다. 더욱이, ZrO_2를 표면처리하면 조골 세포의 부착을 증진시키고, 피로 거동(fatigue behavior) 및 분해에 대한 내성을 향상시키는 것으로 나타났다[61, 65]. ZrO_2에 적용된 표면 처리가 숙주 세포 부착, 바이오필름 형성 및 기계적 성능에 미치는 영향을 조사한 연구가 있었다[60, 61]. Chappuis 등은 생체 내 연구에서 다중 핵 거대 세포(multinucleated giant cells, MNGC)의 존재를 확인하였는데, 이들 세포가 티타늄과 비교하여 산화이트륨 안정화 및 알루미나 강화 표면 처리된 ZrO_2 임플란트에 미치는 영향에 대하여 조직학적 분석을 시행하였다[66]. 이 연구는 MNGC가 염증 세포 침윤과 관련이 없으며 티타늄이 세라믹 기질에 비해 MNGCs 접착력을 덜 유도함을 보여주었다. 다른 생체 내 연구에서, Saulacic 등은 샌드 블라스팅(sandblasted) 된 ZrO_2 임플란트의 산(acid) 및 알칼리(alkaline) 식각(etching) 후 골유착에 미치는 영향에 대하여 연구하였다[67]. 이 연구의 결과, 산 식각을 하는 경우 샌드 블라스팅만 처리된 표면보다 더 많은 골-임플란트 접촉을 유도함을 보여주었다. 그러나 ZrO_2에 대한 산 및 알칼리 식각은 MNGC의 형성을 증가시킴을 보여주었다[67]. ZrO_2가 부식으로 인한 임플란트 실패와 바이오필름 부착을 줄이고, 심미적 외관을 향상시키기 위한 유망한 재료 인 것으로 보인다. 그러나, 임플란트 생존에 대한 장기 임상 데이터가 부족하여 ZrO_2가 티타늄 임플란트의 경쟁적인 대안이 되는지는 아직 결론을 내리기는 어렵다.

5. 요약

현재까지 임플란트 실패의 원인에 대해서 좀 더 많은 연구를 필요로 한다. 부적절한 수술 술식, 부적절한 보철 술식 및 임플란트 표면 부식 등의 여러 요인이 임플란트 실패의 원인이 될 수 있다.

Reference

1. Eisenbarth E, Meyle J, Nachtigall W, Breme J. Influence of the surface structure of titanium materials on the adhesion of fibroblasts. Biomaterials. 1996;17(14):1996.

2. Zhao B, Van Der Mei HC, Subbiahdoss G, De Vries J, Rustema-Abbing M, Kuijer R, Busscher HJ, Ren Y. Soft tissue integration versus early biofilm formation on different dental implant materials. Dent Mater. 2014;30(7):716–27.

3. Manor Y, Oubaid S, Mardinger O, Chaushu G, Nissan J. Characteristics of early versus late implant failure: a retrospective study. J Oral Maxillofac Surg. 2009;67(12):2649–52. https:// doi.org/10.1016/j.joms.2009.07.050.

4. Snauwaert K, Duyck J, van Steenberghe D, Quirynen M, Naert I. Time dependent failure rate and marginal bone loss of implant supported prostheses: a 15-year follow-up study. Clin Oral Investig. 2000;4(1):13–20. http://www.ncbi.nlm.nih.gov/pubmed/11218510

5. Norowski PA, Bumgardner JD. Biomaterial and antibiotic strategies for peri-implantitis. J Biomed Mater Res B Appl Biomater. 2009;88(2):530–43.

6. Heckmann SM, Linke JJ, Graef F, Foitzik C, Wichmann MG, Weber H-P. Stress and inflammation as a detrimental combination for peri-implant bone loss. J

Dent Res. 2006;85(8):711-6.

7. Manda MG, Psyllaki PP, Tsipas DN, Koidis PT. Observations on an in-vivo failure of a titanium dental implant/abutment screw system: a case report. J Biomed Mater Res Part B Appl Biomater. 2009;89(1):264-73.

8. Souza JCM, Henriques M, Oliveira R, Teughels W, Celis J-P. Rocha L a. Do oral biofilms influence the wear and corrosion behavior of titanium? Biofouling. 2010;26(4):471-8.

9. Chaturvedi TP. Allergy related to dental implant and its clinical significance. Clin Cosmet Investig Dent. 2013;5:57-61.

10. Mouhyi J, Dohan Ehrenfest DM, Albrektsson T. The peri-implantitis: implant surfaces, microstructure, and physicochemical aspects. Clin Implant Dent Relat Res. 2012;14(2):170-83.

11. Zhao B, Van Der Mei HC, Subbiahdoss G, et al. Soft tissue integration versus early biofilm formation on different dental implant materials. Dent Mater. 2014;30(7):716-27.

12. Wilson TG, Valderrama P, Burbano M, et al. Foreign bodies associated with peri-implantitis human biopsies. J Periodontol. 2015;86(1):9-15.

13. van Steenberghe D, Lekholm U, Bolender C, Folmer T, Henry P, Herrmann I, Higuchi K, Laney W, Linden U, Astrand P. Applicability of osseointegrated oral implants in the rehabilitation of partial edentulism: a prospective multicenter study on 558 fixtures. Int J Oral Maxillofac Implants. 1990;5(3):272-81.

14. Lambert PM, Morris HF, Ochi S. The influence of 0.12% chlorhexidine digluconate rinses on the incidence of infectious complications and implant success. J Oral Maxillofac Surg. 1997;55(12):25-30.

15. Sánchez MC, Llama-Palacios a, Fernández E, Figuero E, Marín MJ, León R, Blanc V, Herrera D, Sanz M. An in vitro biofilm model associated to dental

implants: structural and quantitative analysis of in vitro biofilm formation on different dental implant surfaces. Dent Mater. 2014;30:1161–71.

16. van Winkelhoff AJ, Goené RJ, Benschop C, Folmer T. Early colonization of dental implants by putative periodontal pathogens in partially edentulous patients. Clin Oral Implants Res. 2000;11:511–20.

17. Yeo IS, Kim HY, Lim KS, Han JS. Implant surface factors and bacterial adhesion: a review of the literature. Int J Artif Organs. 2012;35:762–72.

18. Mombelli A, N L. Microbial aspects of implant dentistry. Periodontol 2000. 1994;4:74–80.

19. Gerber J, Wenaweser D, Heitz-Mayfield L, Lang NP, Rutger Persson G. Comparison of bacterial plaque samples from titanium implant and tooth surfaces by different methods. Clin Oral Implants Res. 2006;17(1):1–7.

20. Garg H, Bedi G, Garg A. Implant surface modifications: a review. J Clin Diagn Res. 2012;6:319–24.

21. Tsuchiya H, Shirai T, Nishida H, Murakami H, Kabata T, Yamamoto N, Watanabe K, Nakase J. Innovative antimicrobial coating of titanium implants with iodine. J Orthop Sci. 2012;17:595–604.

22. Vargas-Reus MA, Memarzadeh K, Huang J, Ren GG, Allaker RP. Antimicrobial activity of nanoparticulate metal oxides against peri-implantitis pathogens. Int J Antimicrob Agents. 2012;40:135–9.

23. Esposito M, Thomsen P, Ericson LE, Sennerby L, Lekholm U. Histopathologic observations on late oral implant failures. Clin Implant Dent Relat Res. 2000;2(1):18–32.

24. Isidor F. Histological evaluation of peri-implant bone at implants subjected to occlusal overload or plaque accumulation. Clin Oral Implants Res. 1997;8(1):1–9.

25. Rosenberg ES, Torosian JP, Slots J. Microbial differences in 2 clinically

distinct types of failures of osseointegrated implants. Clin Oral Implants Res. 1991;2(3):135–44.

26. Esposito M, Thomsen P, Mölne J, Gretzer C, Ericson LE, Lekholm U. Immunohistochemistry of soft tissues surrounding late failures of Brånemark implants. Clin Oral Implants Res. 1997;8:352–266.

27. Fretwurst T, Nelson K, Tarnow DP, Wang HL, Giannobile WV. Is metal particle release associated with peri-implant bone destruction? An emerging concept. J Dent Res. 2018;97(3):259–65.

28. Haïat G, Wang HL, Brunski J. Effects of biomechanical properties of the bone-implant Interface on dental implant stability: from in silico approaches to the Patient's mouth. Annu Rev Biomed Eng. 2014;16:187–213.

29. Senna P, Antoninha Del Bel Cury A, Kates S, Meirelles L. Surface damage on dental implants with release of loose particles after insertion into bone. Clin Implant Dent Relat Res. 2013;17:681–92.

30. Frisken KW, Dandie GW, Lugowski S, Jordan G. A study of titanium release into body organs following the insertion of single threaded screw implants into the mandibles of sheep. Aust Dent J. 2002;47(3):214–7.

31. Onodera K, Ooya K, Kawamura H. Titanium lymph node pigmentation in the reconstruction plate system of a mandibular bone defect. Oral Surg Oral Med Oral Pathol. 1993;75(4):495–7.

32. Sridhar S, Wilson TG Jr, Valderrama P, Watkins-Curry P, Chan JY, Rodrigues DC. In-vitro evaluation of titanium exfoliation during simulated surgical insertion of dental implants. J Oral Implantol. 2016;42(1):34–40.

33. Franchi M, Bacchelli B, Martini D, De Pasquale V, Orsini E, Ottani V, Fini M, Giavaresi G, Giardino R, Ruggeri a. Early detachment of titanium particles from various different surfaces of endosseous dental implants. Biomaterials.

2004;25(12):2239-46.

34. Martini D, Fini M, Franchi M, De Pasquale V, Bacchelli B, Gamberini M, Tinti a, Taddei P, Giavaresi G, Ottani V, Raspanti M, Guizzardi S, Ruggeri a. Detachment of titanium and fluorohydroxyapatite particles in unloaded endosseous implants. Biomaterials. 2003;24(7):1309-16.

35. Wilson TG. The positive relationship between excess cement and peri-implant disease: a prospective clinical endoscopic study. J Periodontol. 2009;80(9):1388-92.

36. Marvin JC, Gallegos SI, Parsaei S, Rodrigues DC. In vitro evaluation of cell compatibility of dental cements used with titanium implant components. J Prosthodont. 2018;0:1-8.

37. Saba JN, Siddiqui DA, Rodriguez LC, Sridhar S, Rodrigues DC. Investigation of the corrosive effects of dental cements on titanium. J Bio Tribo Corros. 2017;3:25.

38. Rodriguez LC, Saba JN, Chung KH, Wadhwani C, Rodrigues DC. In vitro effects of dental cements on hard and soft tissues associated with dental implants. J Prosthet Dent. 2017;118(1):31-5.

39. Pontoriero R, Tonelli MP, Carnevale G, Mombelli A, Nyman SR, Lang NP. Experimentally induced peri-implant mucositis. A clinical study in humans. Clin Oral Implants Res. 1994;5(4):254-9.

40. Chin MYH, Sandham A, de Vries J, van der Mei HC, Busscher HJ. Biofilm formation on surface characterized micro-implants for skeletal anchorage in orthodontics. Biomaterials. 2007;28(11):2032-40. https://doi.org/10.1016/j.biomaterials.2006.12.014.

41. Rodrigues DC, Valderrama P, Wilson TG Jr, et al. Titanium corrosion mechanisms in the Oral environment: a retrieval study. Materials (Basel). 2013;6(11):5258-74. https://doi.org/10.3390/ ma6115258.

42. Rodrigues DC, Sridhar S, Gindri IM, et al. Spectroscopic and microscopic investigation of the effects of bacteria on dental implant surfaces. RSC Adv. 2016;6(54):48283–93. https://doi. org/10.1039/C6RA07760A.

43. Sridhar S, Abidi Z, Wilson TG, et al. In vitro evaluation of the effects of multiple oral factors on dental implants surfaces. J Oral Implantol. 2016;42(3):248–57. https://doi.org/10.1563/ aaid-joi-D-15-00165.

44. Sridhar S, Wilson TG, Palmer KL, et al. In vitro investigation of the effect of oral bacteria in the surface oxidation of dental implants. Clin Implant Dent Relat Res. 2015;17:e562–75. https://doi.org/10.1111/cid.12285.

45. Williams DF. On the mechanisms of biocompatibility. Biomaterials. 2008;29(20):2941–53.

46. Liu X, Chu P, Ding C. Surface modification of titanium, titanium alloys, and related materials for biomedical applications. Mater Sci Eng R Rep. 2004;47:49–121.

47. Hermawan H, Ramdan D, Djuansjah JRP. Metals for biomedical applications. In: Fazel PR, editor. Biomedical engineering - from theory to applications. Rijeka: InTech; 2011.

48. Thalji G, Cooper LF. Molecular assessment of osseointegration in vitro: a review of current literature. Int J Oral Maxillofac Implants. 2014;29(2):e171–99. https://doi.org/10.11607/jomi. te55.

49. Jacobs JJ, Gillbert JL, Urban RM. Current concepts review. Corrosion of metal orthopaedic implants. J Bone Joint Surg Am. 1998;80(10):1554.

50. Medvedev AE, Molotnikov A, Lapovok R, et al. Microstructure and mechanical properties of Ti–15Zr alloy used as dental implant material. J Mech Behav Biomed Mater. 2016;62:384–98. https://doi.org/10.1016/j.jmbbm.2016.05.008.

51. Correa DRN, Vicente FB, Donato TAG, Arana-Chavez VE, Buzalaf MAR,

Grandini CR. The effect of the solute on the structure, selected mechanical properties, and biocompatibility of Ti–Zr system alloys for dental applications. Mater Sci Eng C. 2014;34:354–9. https://doi. org/10.1016/j.msec.2013.09.032.

52. Gómez-Florit M, Ramis JM, Xing R, et al. Differential response of human gingival fibroblasts to titanium- and titanium-zirconium-modified surfaces. J Periodontal Res. 2014;49(4):425–36. https://doi.org/10.1111/jre.12121.

53. Jimbo R, Naito Y, Galli S, Berner S, Dard M, Wennerberg A. Biomechanical and histomorphometrical evaluation of TiZr alloy implants: an in vivo study in the rabbit. Clin Implant Dent Relat Res. 2015;17:e670–8. https://doi.org/10.1111/cid.12305.

54. Akimoto T, Ueno T, Tsutsumi Y, Doi H, Hanawa T, Wakabayashi N. Evaluation of corrosion resistance of implant-use Ti-Zr binary alloys with a range of compositions. J Biomed Mater Res B Appl Biomater. 2018;106(1):73–9.

55. Sista S, Wen C, Hodgson PD, Pande G. The influence of surface energy of titanium-zirconium alloy on osteoblast cell functions in vitro. J Biomed Mater Res A. 2011;97A(1):27–36. https://doi.org/10.1002/jbm.a.33013.

56. Gómez-Florit M, Xing R, Ramis JM, et al. Human gingival fibroblasts function is stimulated on machined hydrided titanium zirconium dental implants. J Dent. 2014;42(1):30–8. https://doi.org/10.1016/j.jdent.2013.11.003.

57. Foong JKW, Judge RB, Palamara JE, Swain MV. Fracture resistance of titanium and zirconia abutments: an in vitro study. J Prosthet Dent. 2013;109(5):304–12.

58. Guess PC, Att W, Strub JR. Zirconia in fixed implant prosthodontics. Clin Implant Dent Relat Res. 2012;14(5):633–45.

59. Mihatovic I, Golubovic V, Becker J, Schwarz F. Bone tissue response to experimental zirconia implants. Clin Oral Investig. 2017;21(2):523–32. https://doi.org/10.1007/s00784-016-1904-2.

60. Roehling S, Astasov-Frauenhoffer M, Hauser-Gerspach I, et al. In vitro biofilm formation on titanium and zirconia implant surfaces. J Periodontol. 2017;88(3):298–307. https://doi. org/10.1902/jop.2016.160245.

61. Zhao B, van der Mei HC, Rustema-Abbing M, Busscher HJ, Ren Y. Osteoblast integration of dental implant materials after challenge by sub-gingival pathogens: a co-culture study in vitro. Int J Oral Sci. 2015;7(4):250–8. https://doi.org/10.1038/ijos.2015.45.

62. Gahlert M, Burtscher D, Grunert I, Kniha H, Steinhauser E. Failure analysis of fractured dental zirconia implants. Clin Oral Implants Res. 2012;23(3):287–93. https://doi. org/10.1111/j.1600-0501.2011.02206.x.

63. Aramouni P, Zebouni E, Tashkandi E, Dib S, Salameh Z, Almas K. Fracture resistance and failure location of zirconium and metallic implant abutments. J Contemp Dent Pract. 2008;9(7):041–8.

64. Oliva J, Oliva X, Oliva JD. Five-year success rate of 831 consecutively placed zirconia dental implants in humans: a comparison of three different rough surfaces. Int J Oral Maxillofac Implants. 2010;25(2):336–44.

65. Kosmač T, Oblak Č, Marion L. The effects of dental grinding and sandblasting on ageing and fatigue behavior of dental zirconia (Y-TZP) ceramics. J Eur Ceram Soc. 2008;28(5):1085–90. https://doi.org/10.1016/j.jeurceramsoc.2007.09.013.

66. Chappuis V, Cavusoglu Y, Gruber R, Kuchler U, Buser D, Bosshardt DD. Osseointegration of zirconia in the presence of multinucleated giant cells. Clin Implant Dent Relat Res. 2016;18(4):686–98.

67. Saulacic N, Erdösi R, Bosshardt DD, Gruber R, Buser D. Acid and alkaline etching of sandblasted zirconia implants: a histomorphometric study in miniature pigs. Clin Implant Dent Relat Res. 2014;16(3):313–22. https://doi.org/10.1111/cid.12070.

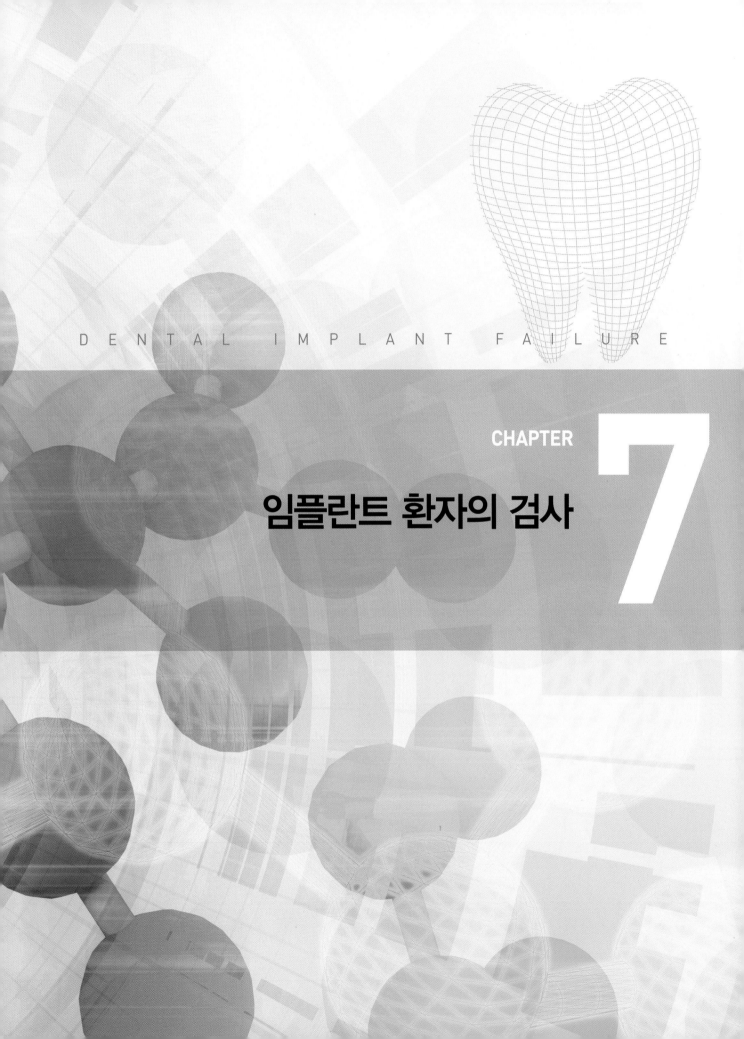

DENTAL IMPLANT FAILURE

CHAPTER

7

임플란트 환자의 검사

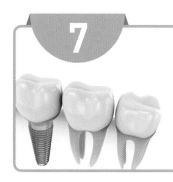

7

임플란트 환자의 검사

John B. Wilson / Texas A&M University College of Dentistry, Dallas, TX, USA

핵심 정리

장기간 동안 수집된 검사 결과를 통해 임상의는 임플란트 질환의 상태를 보다 정확하게 진단할 수 있다.

- 임플란트 수복물 로딩 시점에서 촬영한 수직의 방사선 사진이 본 레벨을 모니터링하는 데 필요하다.
- 연조직의 상태를 파악하기 위해 임플란트 주변을 루틴하게 프루빙 하는 것이 필요하다.
- 환자가 구강 위생 관리를 적절히 수행하고 동기부여가 되어 있는지 파악해야 한다.
- 치주염의 유무 또는 병력을 파악해야 한다.
- 내원 시마다 보철 구성 부품들을 평가해야 한다.

1. 서론

임플란트는 치아가 상실되는 것과 같이 여러 가지 이유로 실패한다. 따라서 임플란트를 정기적으로 검사하는 것이 중요하다. 임플란트를 식립한 환자에 대해 의미 있는 유지 관리 검사를 수행하려면 임상의는 임플란트에 영향을 줄 수 있는 국소 및 전신 위험 요소를 알고 있어야 한다.

임플란트의 위험 요인은 여러 측면에서 자연치의 위험 요인과 유사하다. 이것은 술자가 치아 및 임플란트 수명에 영향을 줄 수 있는 전신 병력이나 흡연 등의 생활 습관에 대해서도 문진 해야 함을 의미한다. 환자는 이러한 위험 요소에 대해 알고 이러한 문제를 제거하거나 개선할 수 있는 방법을 얻어야 한다. 환자의 건강 상태를 완전히 파악하려면 의학적 협진이 필요할 수 있다.

이 챕터에서는 턱관절, 저작근 및 구강암 검진 평가를 포함하여 적절한 구외 및 구내 검사가 수행 될 것으로 가정한다.

다른 여러 검사와 마찬가지로 술자는 체계적인 단계별 검사 과정을 따라야한다. 각 환자마다 동일한 순차적 패턴을 따르면 술자는 검사 과정의 필수 부분과 기록을 놓치는 일이 적어진다. 우리의 견해로는, 기초검사부터 시작하여 보다 자세한 임플란트 분석으로 진행되는 패턴이 가장 논리적 접근 방법이라고 생각하지만, 다른 순서의 검사 단계가 사용 가능하다.

2. 치아와 임플란트의 개수

검사는 상실치를 파악하고 잔존 치아와 임플란트의 현재의 위치를 확인하는 것으로 시작한다. 이 정보를 환자 차팅으로 기록한다.

3. 방사선사진

다음 단계는 이전 방사선 사진들의 검토이다. 임플란트의 식립 직후 및 로딩 직후에 촬영한 정확한 직각의 방사선 사진을 확보하는 것이 중요하다. 후속으로 촬영한 필름들은 최초 사진의 본 레벨과 비교하여 측정된다. 이 2 차원 필름은 근심, 원심 및 근첨측 골 소실을 측정하는 데 가장 유용하다. 직각 방사선 사진(치근단 또는 바이트윙)이 가장 정확하기 때문에 가장 추천된다. 이 과정의 중요성은 최근의 AAP (American Academy of Periodontology)와 유럽 EFP (European Federation of Periodontology)의 공동 출판물에서도 강조되었다[1].

임플란트 주변 골 소실 및 질환의 방사선 사진 검사에는 치조골의 치조능 쪽과 근첨 쪽에 대한 검사가 포함된다. 치조능의 골 높이가 보통 검사되고 시간이 지남에 따라 가능한 소실로 분류되지만, 임플란트의 근첨쪽 골도 검사해야 한다. 이 또한, 직각 치근단 방사선 사진이 골 변화를 평가하는 가장 적절한 방법으로 적절한 기간마다 촬영 해야 한다. 바이트윙 방사선 사진을 사용하는 경우, 수직 바이트윙이 수평 바이트윙보다 선호된다. 수직 필름이 임플란트 주위 골의 치관 쪽 부분이 촬영될 가능성이 높기 때문이다. 파노라마 방사선 사진에서는 왜곡으로 인해 골 높이를 정확하게 측정 할 수 없다.

점진적인 변연골 소실이 발견되는지 확인해야 한다(그림 7-1 a, b). 치근 형태 임플란트의 개발 초기에는 첫해에 2 mm 미만의 뼈 손실이 정상적인 한계 내라고 보고되었으며 그 다음 해에는 0.2 mm 미만으로 계속 소실이 발생한다고 보고되

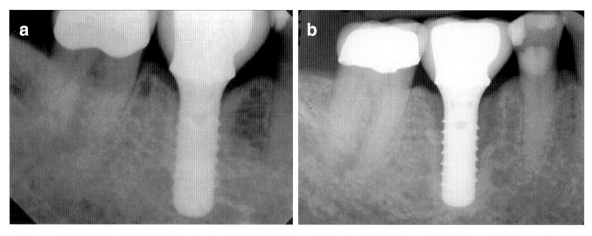

그림 7-1 (a)이 방사선 사진은 (b)사진보다 6년 전에 촬영되었다. 그 기간 동안 방사선학적으로나 임상적으로 상당한 골소실이 있었다. 골소실의 원인은 임플란트의 근심 표면에 있던 과도한 잔존 시멘트였다.

었다[2]. 임플란트의 디자인이 발전함에 따라, 플랫폼 스위칭이 내장되고 임플란트 표면처리가 개선되는 등에 의하여 식립 후 첫해 동안 예상되는 골소실의 양은 줄어들었다[3]. 방사선 사진 상에서 측정된 임플란트의 길이와 골 소실 정도를 비교하여 기록하는 것도 유용한 방법이다[4].

방사선 사진은 또한 검사해야 할 보철 구성 요소를 포함해야 한다. 보철 연결부에서 작은 틈이 보이면 기록해야 한다(그림 7-2). 임플란트 주변을 환자가 적절히 위생관리를 할 수 있을지를 지대주 및 보철물과 주변 영역과의 관계를 고려해서 검사해야 한다(5장 참조).

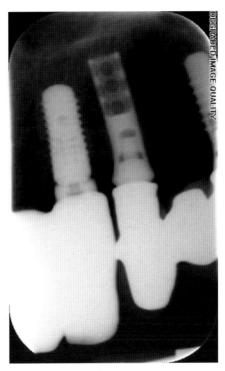

그림 7-2 이 방사선 사진은 임플란트의 상부구조물과 지대주 사이 마진에서의 갭을 보여준다. 이것은 세균의 축적과 주변 연조직의 염증을 유발할 수 있다.

4. 치아 동요도/임플란트 안정성

다음으로, 치아의 동요도와 임플란트 안정성을 평가한다. 두 개의 치과 기구의 손잡이를 사용하여 검사를 수행한다. 부드럽게 힘을 협설방향으로 교대로 가하여 치아 또는 임플란트의 동요도를 평가한다. 임플란트 또는 그 보철 구성 요소의 동요도는 해결되어야 하는 문제이다. 임플란트 픽스쳐가 움직일 때는 대부분 임플란트가 실패한 것으로, 제거해야 한다.

5. 임플란트 보철

다음으로 보철물의 안정성과 무결성을 검사한다. 이것은 보철물을 회전 시켜보거나 제거해보려 하는 등의 동작을 수작업으로 해보는 것이 가장 좋다. 합착된 보철물이 회전하면 일반적으로 지대주가 느슨해진 것이다. 나사 유지형 보철물의 동요도는 일반적으로 나사가 풀렸음을 의미한다. 이러한 문제는 즉시 해결해야한다. 그러한 상황에서는 보철물과 임플란트 사이의 계면에 박테리아가 침투 할 수 있으며 임플란트 주변 질환을 유발할 수 있다. 또한, 나사 고정식 크라운의 스크류홀을 덮고 있는 수복재가 적절히 밀봉되어 있는지 검사해야 한다.

임플란트 크라운의 인접면 접촉이 긴밀한 지를 점검해야 한다. 자연치 옆에 위치한 임플란트의 근심 또는 원심부에서 접촉이 열리는 경우가 34-66 %에 달한다고 보고되고 있다[5]. 이는 필요할 경우 나중에 컨택을 조정하기가 용이한 착탈이 가능한 나사 유지형 보철물이 유리함을 의미한다.

잔존 시멘트의 존재 여부를 임상적 및 방사선학적으로 점검하는 것은 특히 중요하다. 탐침은 이 평가에 적합한 도구이다. 임상에서 잔존 시멘트를 식별할 수 없다고 해서 잔존 시멘트가 전혀 없음을 의미하는 것은 아니다. 실제로 Wilson 등은 미세한 시멘트 입자가 임플란트 주변 질환을 겪고있는 임플란트의 수복물의 주사 전자 현미경 레벨에서 자주 발견된다는 것을 보고하였다[6].

잔존 시멘트가 있다고 의심되는 경우 치과 내시경과 Dental Videoscope를 포함한 시각화 진단 기술이 잔존 시멘트를 식별하고 제거하는 데 도움이 될 수 있다(11 장 참조). 잔존 시멘트는 임플란트 주변 질환의 원인 중 하나로 간주되어야 하며 진단 및 치료 고려 사항에 포함되어야 한다[7].

6. 임플란트 주변 연조직의 평가

다음으로 임플란트 주변 연조직을 평가한다(그림 7-3). 비정상적인 색조, 연조직의 두께, 연조직의 열개(dehiscence)나 각화조직의 소실 여부를 주의 깊게 관찰해야 한다. 전통적으로 치은의 산호 핑크색은 멜라닌 색소 침착을 제외하고 건강의 징후로 여겨진다. 화농의 증거가 있는지 조직을 가볍게 두드려 봐야한다. 이 단계는 임플란트의 협측 또는 설측 근첨측에서 시작하여 가벼운 손가락 압력으로 치관측 방향으로 검사하는 것이 유리하다. 골 상방 연조직의 움직임으로 인해 생기는 연조직의 염증 같은 것들도 지지골의 건강에 영향을 줄 수 있다. 임플란트 주변의 각화 치은의 필요성에 대한 논쟁이 계속되고 있지만, 여러 연구에 따르면 최소 2mm 폭의 각화 조직[8]과 최소 2 mm의 적절한 조직 두께를 가졌을 때, 임플란트 주변에서 염증 및 골소실이 적다고 보고되었다[9].

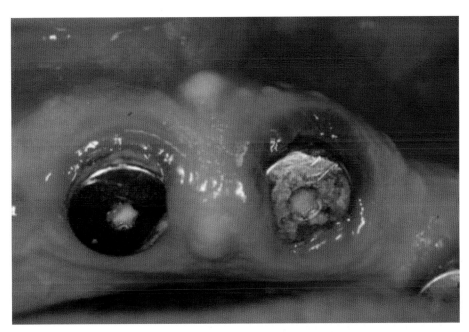

그림 7-3 이 치유 지대주 주변의 조직은 치태로 인한 임플란트 주변 점막염을 보여준다. 이것의 임상적 특징은 조직의 비정상적인 발적이다.

7. 프로빙

임플란트 주변의 프로빙은 일부 분야에서 논란의 여지가 있지만 AAP/EFP 컨
센서스 컨퍼런스(Consensus Conference)에서 발표 한 2017년 가이드 라인에 따르
면 임플란트 주변은 일상적으로 프로빙을 시행하는 것이 표준이다[1]. 그러나 이
문헌은 적절한 프로빙 깊이를 정의하는 것에 대한 결론을 도출하지 않았다. 그들
의 데이터는 프로빙이 임플란트 주변의 염증의 존재를 진단하는 가장 정확한 방
법임을 보여준다. 치아의 프로빙에 권장되는 25 Ncm보다 더 부드러운 압력(15
Ncm)이 권장되었으며, 이로 인해 프로빙 시 출혈을 잘못 탐지하는 것을 줄일 수
있다[10]. 개인 구강 위생이 양호한 환자에서 시멘트 유지형 수복물이 있는 임플란
트 주변의 프로빙 출혈은 종종 잔존 시멘트가 있음을 나타낸다(그림 7-4). 이 책의
저자는 유연성이 있고 임플란트 표면 또는 임플란트 구성 요소를 손상시킬 위험
이 적은 플라스틱 프로브의 사용을 권장한다. 플라스틱 프로브를 사용할 수 없는
경우 금속 프로브를 조심스럽게 사용할 수 있을 것이다. 프로빙 시 출혈(BOP) 및
프로빙 깊이는 향후 비교할 수 있도록 기록해 두어야한다.

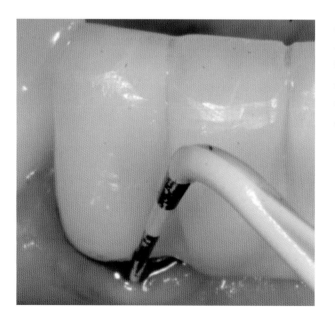

그림 7-4 이 상부보철물은
시멘트로 합착되었다. 대략
합착 4년 후에 탐침 시 출혈
이 관찰되었다. 이런 경우 상
당수의 상황에서 원인은 과도
한 잔존 시멘트이다.

8. 교합

다음으로, 과도한 교합력과 교합 간섭이 임플란트 또는 구성 부품의 파절을 유발하거나 임플란트 주변 골 손실에 기여할 수 있으므로 교합을 검사해야 한다[11, 12]. 임플란트 실패에 대한 교합의 영향에 대한 자세한 내용은 9장에 기술하였다. 이 검사는 환자를 중심위, 측방운동 및 전방 운동으로 유도하면서 교합지를 사용하여 수행된다. 풀아치 보철물의 교합 평가에 대한 자세한 내용은 8장에 기술하였다.

9. 개인 구강 위생 관리

세균성 치태가 임플란트 실패의 주요 요인이기 때문에 환자의 개인 구강 위생 관리에 대한 평가는 매우 중요하다. 임상의는 환자가 매일 어떤 유형의 개인 구강 위생 요법을 사용하는지 파악해야 한다. 검사 중에 구강 위생이 불충분한 부분이 발견되면 환자에게 지적하고, 개선을 위한 적절한 전략을 제시해야한다. 이러한 위생 관리의 필요성과 임플란트의 수명과의 관계를 반복적으로 강조하는 것이 중요하다. 자세한 내용은 10장을 참조하라.

10. 유지 관리 간격 설정

임플란트 상실에 영향을 미치는 많은 요인들이 치아 주변에서 발견되는 것들과 유사하기 때문에 임플란트 환자는 정기적인 유지 보수가 필요하다. 일반적으로, 남아있는 자연 치아의 치주 질환이 심할수록 환자는 유지 관리를 위해 더 자주 내원해야 한다. 또한 치주염의 병력은 임플란트 실패의 위험 요소라는 사실을 환자에게 알려야 한다. 개인 위생 관리 능력이 충분하지 않은 환자는 보다 자주 내원해야 한다. 10장에서 더 많은 정보를 기술하였다.

11. 요약

치과 임플란트는 치아와 동일한 여러 병인학적 요인에 의해 영향을 받는다. 이 중 가장 중요한 것은 세균 감염에 따른 이차적인 염증과 교합으로 인한 부적절한 하중이다. 이것은 이러한 임플란트에 정기적인 유지 보수를 일상적으로 시행해야 함을 의미한다. 일반적으로 자연치 주위를 평가하는 것과 유사한 방법으로 임플란트를 검사한다. 식립 직후 또는 로딩 직후의 정보는 임플란트와 그 주변 조직의 건강과 안정성을 추적하는 데 사용될 수 있다.

임플란트는 정기적으로 임상적 방법 및 방사선 사진으로 검사해야 한다. 임플란트 실패를 방지하기 위해 임플란트 유지 관리 및 구강 위생 기술 강화가 필요하다.

Reference

1. Caton JG, Armitage G, Berglundh T, et al. A new classification scheme for periodontal and peri-implant diseases and conditions - introduction and key changes from the 1999 classification. J Periodontol. 2018;89:Supp S1-8.

2. Albrektsson T, Zarb G, Worthington P, Eriksson AR. The long-term efficacy of currently used dental implants: a review and proposed criteria of success. Int J Oral Maxillofac Implants. 1986;1(1):11-25.

3. Cappiello M, Luongo R, Di Iorio D, Bugea C, Cocchetto R, Celletti R. Evaluation

of peri-implant bone loss around platform-switched implants. Int J Periodontics Restorative Dent. 2008;28(4):347.

4. Froum SJ, Rosen PS. A proposed classification for peri-implantitis. Int J Periodontics Restorative Dent. 2012;32(5):533.

5. Greenstein G, Carpentieri J, Cavallaro J. Open contacts adjacent to dental implant restorations: etiology, incidence, consequences, and correction. J Am Dent Assoc. 2016;147(1):28–34.

6. Wilson TG Jr, Valderrama P, Burbano M, et al. Foreign bodies associated with peri-implantitis human biopsies. J Periodontol. 2015;86:9–15.

7. Wilson TG Jr. The positive relationship between excess cement and peri-implant disease: a prospective clinical endoscopic study. J Periodontol. 2009;80:1388–92.

8. Boynuegri D, Nemli SK, Kasko YA. Significance of keratinized mucosa around dental implants: a prospective comparative study. Clin Oral Implants Res. 2013;24:928–33.

9. Linkevicius T, Apse P, Grybauskas S, Puisys A. The influence of soft tissue thickness on crestal bone changes around implants: a 1-year prospective controlled clinical trial. Int J Oral Maxillofac Implants. 2009;24(4):712.

10. Gerber JA, Tan WC, Balmer TE, Salvi GE, Lang NP. Bleeding on probing and pocket probing depth in relation to probing pressure and mucosal health around oral implants. Clin Oral Implants Res. 2009;20(1):75–8.

11. Zhou Y, Gao J, Luo L, Wang Y. Does bruxism contribute to implant failure? A systematic review and meta-analysis. Clin Implant Dent Relat Res. 2016;18:410–20.

12. Sridhar S, Abidi Z, Wilson TG Jr, Valderrama P, Wadhwani C, Palmer K, Rodrigues DC. In vitro evaluation of the effects of multiple oral factors on dental implants surfaces. J Oral Implantol. 2016;42(3):248–57.

CHAPTER

임플란트 주위 질환의 진단

8

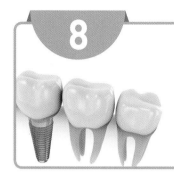

8 임플란트 주위 질환의 진단

Pilar Valderrama

핵심 정리

- 치과 임플란트가 소개되었을때부터 임플란트 실패도 함께 보고되었다.
- 임플란트 실패의 역사에 대해 간략하게 논의하도록 한다.
- 국제 연구 그룹에서는 최근 다양한 임플란트 관련 질환 및 실패에 대해서 구분하고 분류하였다.
- 임플란트 염증/질환/실패에 대하여 기술적인 설명을 검토하도록 한다.
- 임상 상황에서 새로운 분류를 사용하는 것이 어려움을 검토하도록 한다.

1. 역사적 관점

치과 임플란트가 사용되던 초기 단계에서 임플란트 실패는 예외적인 상황이라기보다는 일반적인 결과였다. 골내(intraosseous)가 아닌, 골외(extraosseous) 또는 골상부(supraosseous)에 식립된 임플란트는 초기 안정성(initial stability)을 보였으나, 매우 광범위한 외과적 시술을 필요로 하였고, 금속 프레임의 크기로 인해 골 소실이 진행되어 종종 실패하였다. 골유착(osseointegration)의 발견으로 치과 임플란트의 예지성이 높아지고 성공률이 크게 높아졌다. 골 유착 임플란트 식립에 대한 수술 기준이 매우 엄격하고, 외과적 수술을 하거나 임플란트 수복을 하는 치과 의사에게 요구되는 전문적인 지식에 대한 수련을 필요로 하였으며, 증례 선택이 완전 무치악 환자로 제한되어 있었기 때문에 첫 수십 년 동안 골유착에 성공할수 있었다. 그러나 많은 경우에, 초기 골유착을 이루지 못하고 오히려 섬유성 유착(fibrointegration)으로 임플란트가 실패하였다. 이 경우, 임플란트는 골 접촉이아닌 연조직 부착을 보인다. 골유착 임플란트는 높은 생존율 및 환자 만족도를 보여 부분 무치악 환자들도 이러한 유형의 치료에 대한 요구가 높아졌다. 그 이후로, 완전 무치악 혹은 부분 무치악 환자에 있어서 이러한 유형의 치료에 대한 수요가 기하급수적으로 증가하였다. 이 산업은 다양한 임플란트 표면과 디자인을개발하여 보다 빠른 골 형성과 임플란트 안정성을 촉진하였다. 이 치료법은 이제환자의 접근성이 높아졌고, 동시에 더 많은 치과 전문의와 일반 치과 의사가 임플란트를 식립하고 수복하고 있다. 현재 이용 가능한 임플란트의 성공에 기초하여, 일부는 임플란트 치료에 대한 금기 사항이 없다는 잘못된 가정을 하고 있다.동시에, 합병증을 보고하는 논문의 수가 증가하고 있다. 최근 보고서에 따르면 임플란트 주위염의 유병률은 약 20%이며, 이는 5개의 임플란트 중 하나가 생물학적 합병증을 갖는 것으로 해석될 수 있다. 따라서 질병의 초기 징후를 감지하는것이 필수적이다. 임플란트 주변의 염증 상태를 분류하려는 여러 시도가 있었다.미국 치주학회(American Academy of Periodontology)와 유럽 치주학회(European Federation of Periodontology)는 최근 이 장에서 간략하게 논의될 분류 시스템을개발하였다(그림 8-1).

2. 임플란트 주위(Peri-Implant) 질환(disease) 및 상태(condition)의 분류

1) 임플란트 주위 건강(health)

임플란트 주위 건강은 탐침 시 출혈이 없는 것을 포함하여 염증의 임상 징후가없어야 한다. 임상적으로 건강한 임플란트 주위에서, 점막은 임플란트 자체의 점막 구성 요소, 지대치 또는 수복물 주위에 단단한 밀봉(seal)을 형성한다. 임플란트 식립 후 임플란트 주위 연조직의 높이가 초기 탐침 깊이를 결정한다. 대부분의 경우 임플란트 주위 건강과 관련된 탐침 깊이는 5.0 mm 이하여야 한다. 정의에 따르면, 임플란트 식립 직후에 초기 골 리모델링 후 발생하는 골 수준의 변화보다 더 큰 골 소실이 없어야 한다[1].

2) 임플란트주위 점막염(Peri-Implant Mucositis)

치과 임플란트 관련 합병증에 대한 연구 논문들이 점점 많이 발표되고 있다. 그러나 질환의 심각성으로 인해 임플란트 주위염의 유병률, 진단 및 치료에 중점을 둔다. 따라서 임플란트 주위 점막염이라고 하는 이 상태의 초기 단계를 치료하는 것이 중요하다. 이 병변의 주요 임상적 징후는 탐침 시(<0.25 Ncm) 출혈이 특징인 임플란트 주위 점막의 염증이다[2]. 따라서 염증을 감지할 수 있도록 임플란트 주위를 정기적으로 검진하는 것이 중요하다. 임플란트 주위 점막염의 주요 위험 요인은 세균성 바이오필름이다. 이것은 치은염의 세균 병인과 유사한 방식으로 발생하는 것으로 보인다. 건강한 임플란트 주위에 치태가 21일 동안 축적하도록 유도한 실험적 임플란트 주위 점막염에서 모든 임플란트는 출혈뿐만 아니라 발적 및 부종이 발생했다. 조직학적으로, 염증성 침윤물은 치은염에서 발견된 것과 매우 유사한 것으로 밝혀졌다[3, 4]. 임플란트 주위 점막염이 발생한 부위에서 바이오필름이 제거되면 임플란트 주위 연조직이 정상으로 돌아온다는 실험적 결과에 근거하여 임플란트 주위 점막염은 가역적이라고 말할 수 있다. 대부분의 경우 21일이 걸리지만 경우에 따라 3주보다 약간 더 오래 걸릴 수 있다[5]. 나이와 같은 일부 요인들도 임플란트 주위 점막염의 심도(severity)에 영향을 줄 수 있다(예: 노인 환자). 임플란트에는 치태 축적이 적을 수 있지만 임플란트 주위 점막은 치은보다 더 심각한 임상적 반응을 보인다. 이 현상은 자연치의 치근보다 직경이 작아 "자가 세정"에 덜 유리한 임플란트 수복물의 특징과 함께 구강 위생을 더욱 어렵게 만드는 임플란트의 다양한 기술적 특징과 관련이

Peri-Implant Diseases and Conditions			
Peri-Implant Health	Peri-Implant Mucositis	Peri-Implantitis	Peri-Implant Soft Tissue and Hard Tissue Deficiencies

그림 8-1 임플란트 주위 질환의 분류. 2017년 세계 워크샵 합의 보고서(Consensus report of the 2017 World Workshop)

있을 수 있다[6]. 임플란트 주위 점막염이 임플란트 주위염으로 진행되는지 여부는 윤리적 문제로 인해 임상시험을 통해 확인할 수 없으나, 유지 관리에 대한 순응도가 떨어지는 환자가 탐침 시 출혈이 있는 경우 임플란트 주위염이 발생할 위험이 더 높은 것으로 관찰되었다. 탐침 시 출혈이 있는 임플란트의 경우 임플란트 주위염으로 진단될 가능성이 24.1%인 것으로 나타났다[7]. 임플란트 주위 출혈 부위의 수와 임플란트 주위 점막염의 평균 탐침 깊이 사이에도 유의한 연관성이 발견되었다[8]. 중요한 점은 초기 골 리모델링으로 인한 골 변화를 넘는 골소실이 없어야 한다는 것이다[1].

임플란트 주위 점막염의 주요 위험 요소는 바이오필름 축적, 구강 위생 불량, 임플란트 및 지대주 구성 요소의 설계 및 구성, 연조직 변연부의 특성, 잔존 시멘트 등이다[9].

구강 편평태선 환자[10]와 티타늄에 대한 알레르기 반응 환자[11]의 임플란트 주위 점막염 증가에 대한 보고가 있지만 더 많은 증거가 필요하다.

3) 임플란트 주위염(Peri-Implantitis)

임플란트 주위염은 2017년 세계 워크샵(2017 Proceedings of the World Workshop)에 의해 "임플란트 점막의 염증 및 그에 따른 지지 골의 점진적인 소실을 특징으로 하는 치과 임플란트 주위 조직에서 발생하는 치태 연관 병리 상태"로 정의되었다. 저자들은 임상적으로 임플란트 주위염이 발적, 부종, 점막 비대, 탐침시 출혈(67%), 화농(94%); 깊어진 탐침 깊이(59%에서 PD ≥6 mm), 치아

보다 더 빨리 진행되는 골연상(supraosseous)/골연하(infraosseous) 혹은 환상형 (circumferential)의 방사선학적 골소실을 보이는 염증 상태라고 기술하였다. 기준 점이 되는 방사선 사진이나 탐침 깊이가 없는 경우, 다량의 출혈과 함께 방사선학 적 골 소실 ≥3 mm 그리고/또는 탐침 깊이 ≥6 mm를 임플란트 주위염으로 정의 하였다[1].

4) 치근단 임플란트 주위염(Periapical Peri-Implantitis)

역행성 임플란트 주위염(retrograde peri-implantitis)으로도 알려진, 치근단 임플 란트 주위염(periapical peri-implantitis)은 일반적으로 임플란트 주위 방사선 투과 성 병소를 보이며 발적, 부종, 누공 및 농양 형성과 같은 염증의 임상 징후를 동반 하기도 하는 것을 특징적으로 나타나는 상태이다(임상적 징후는 모두 나타나지 않는 경우 도 있다). 역행성 임플란트 주위염의 유병률은 0.26%로 보고되고 있지만, 근관 병 소 기원의 치근단 병변 영향을 받은 치아 가까운 곳에 식립된 임플란트는 전형적 으로 7.8%의 유병률을 보인다. 따라서 임플란트가 식립되는 주위 치아에 대한 근 관 평가가 수행되어야 치근단 임플란트 주위염을 일차적으로 예방할 수 있다.

5) 임플란트 부위 경조직 및 연조직 결손(deficiencies)

이 관점에서의 분류는 치아가 발거된 후 남은 후유증이 임플란트 부위에 영향 을 줄 수 있다는 점에서 논의된다. 치아를 상실한 후, 치조제가 치유되면서 골 과 연조직의 크기가 변하게 된다. 큰 결손은 치주지지의 심각한 손상, 외상성 발 치, 근관 내 감염, 치근 파절, 얇은 협측 골판, 치아 위치 불량, 상악동의 함기화 (pneumatization) 혹은 손상과 관련이 있다. 치조제에 영향을 미치는 다른 요인은 약물과 관련이 있다.

임플란트 식립 후 불량한 임플란트의 식립위치, 임플란트 주위염 및 기계적 과 부하로 인해 일부 경조직 및 연조직 결손이 발생할 수 있다. 또한, 임플란트 식립 후 골이 변화하면서 연조직 두께가 부족하게 되거나 협측 골이 부족하게 될 수 있으며, 심미적 합병증은 치간 유두 높이(papilla height)가 불충분하여 발생할 수 있다. 마지막으로, 또 다른 중요한 변수는 치아의 자연적인 이동과 개인의 삶 전체에 걸친 골격 성장 변화로, 이들로 인하여 임플란트 주위의 경조직 및 연조직의 구조적 변화가 초래될 수 있다[14].

3. 결론

임플란트 주위 상태의 분류에 대한 이러한 지침은 임상의가 임플란트 주위 질환의 초기 징후를 식별하고 이를 치료하거나 적절하게 참조하는 데 도움이 된다. 이러한 분류는 또한 구강 건강 전문가와 제3자 공급자 간의 적절한 의사 소통을 지원하게 된다.

4. 요약

임플란트 실패는 일상적으로 발생하게 된다. 독자들은 임플란트 주위 건강 및 질병의 현재 분류를 알고 있어야 한다.

Reference

1. Renvert S, Persson GR, Pirih FQ, Camargo PM. Peri-implant health, peri-implant mucositis, and peri-implantitis: case definitions and diagnostic considerations. J Periodontol. 2018;89(Suppl 1):S304–s12.

2. Jepsen S, Berglundh T, Genco R, Aass AM, Demirel K, Derks J, et al. Primary prevention of peri-implantitis: managing peri-implant mucositis. J Clin Periodontol. 2015;42(Suppl 16):S152–7.

3. Pontoriero R, Tonelli MP, Carnevale G, Mombelli A, Nyman SR, Lang NP. Experimentally induced peri-implant mucositis. A clinical study in humans. Clin Oral Implants Res. 1994;5(4):254–9.

4. Zitzmann NU, Berglundh T, Marinello CP, Lindhe J. Experimental peri-implant mucositis in man. J Clin Periodontol. 2001;28(6):517–23.

5. Salvi GE, Aglietta M, Eick S, Sculean A, Lang NP, Ramseier CA. Reversibility of experimental peri-implant mucositis compared with experimental gingivitis in humans. Clin Oral Implants Res. 2012;23(2):182–90.

6. Meyer S, Giannopoulou C, Courvoisier D, Schimmel M, Muller F, Mombelli A. Experimental mucositis and experimental gingivitis in persons aged 70 or over. Clinical and biological responses. Clin Oral Implants Res. 2017;28(8):1005–12.

7. Hashim D, Cionca N, Combescure C, Mombelli A. The diagnosis of peri-implantitis: a systematic review on the predictive value of bleeding on probing. Clin Oral Implants Res. 2018;29(Suppl 16):276–93.

8. Ramanauskaite A, Becker K, Schwarz F. Clinical characteristics of peri-implant mucositis and peri-implantitis. Clin Oral Implants Res. 2018;29(6):551–6.

9. Heitz-Mayfield LJA, Salvi GE. Peri-implant mucositis. J Periodontol. 2018;89(Suppl 1):S257–S66.

10. Hernandez G, Lopez-Pintor RM, Arriba L, Torres J, de Vicente JC. Implant treatment in patients with oral lichen planus: a prospective-controlled study. Clin Oral Implants Res. 2012;23(6):726–32.

11. Lim HP, Lee KM, Koh YI, Park SW. Allergic contact stomatitis caused by a titanium nitride-coated implant abutment: a clinical report. J Prosthet Dent. 2012;108(4):209–13.

12. Schwarz F, Derks J, Monje A, Wang HL. Peri-implantitis. J Periodontol. 2018;89(Suppl 1):S267–S90.

13. Sarmast ND, Wang HH, Sajadi AS, Angelov N, Dorn SO. Classification and clinical management of retrograde peri-implantitis associated with apical periodontitis: a proposed classification system and case report. J Endod. 2017;43(11):1921–4.

14. Hammerle CHF, Tarnow D. The etiology of hard- and soft-tissue deficiencies at dental implants: a narrative review. J Periodontol. 2018;89(Suppl 1):S291–s303.

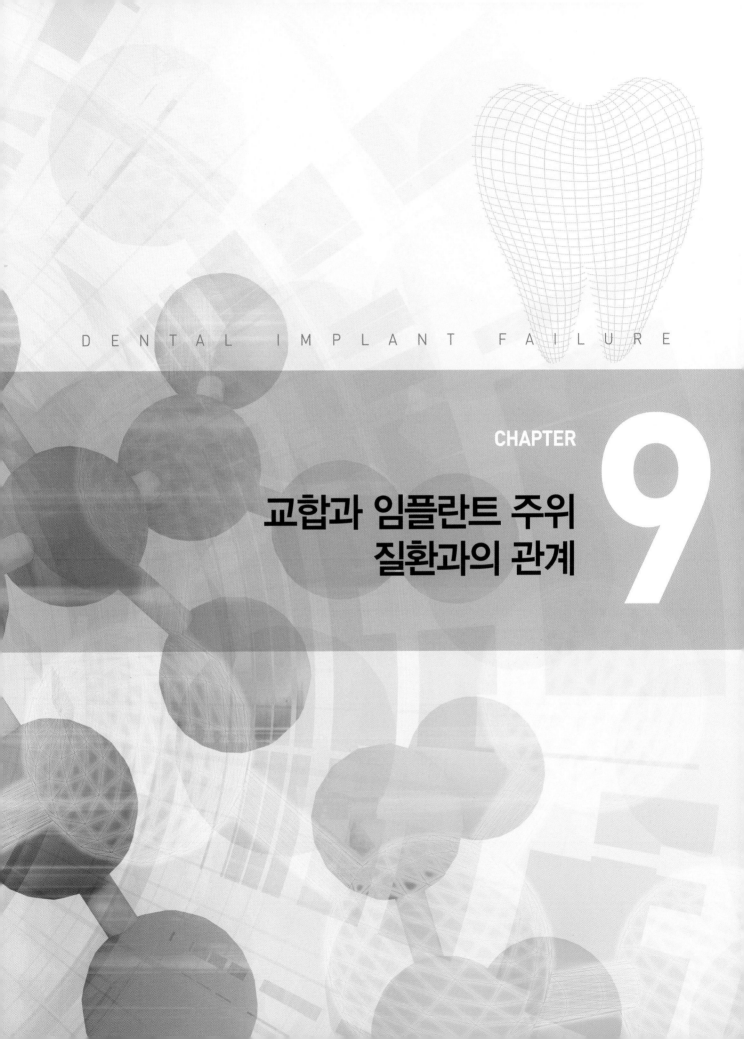

DENTAL IMPLANT FAILURE

CHAPTER

9

교합과 임플란트 주위
질환과의 관계

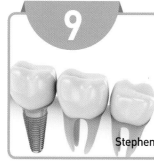

9 교합과 임플란트 주위 질환과의 관계

Stephen Harrel / Periodontology Department, Texas A&M College of Dentistry, Dallas, TX, USA

> **핵심 정리**
>
> - 임플란트의 "교합 과부하"는 제대로 정의되어 있지 않다.
> - 임시 보철물로 인한 교합 스트레스는 조기 임플란트 상실과 관련 있다
> - 임플란트를 즉시 또는 조기에 부하하려면 임플란트의 안정성이 필요하다
> - 임플란트 실패는 임플란트 또는 보철물을 구성하는 재료의 실패와 관련될 수 있다.
> - 임플란트의 장축 방향으로 응력을 가하는 교합 접촉이 이상적인 것으로 간주된다
> - Bruxism은 장기 임플란트 실패와 관련이 있으며, 비기능 교합 습관이 조금이라도 의심되면 나이트가드를 제작해야 한다.

1. 서론

임플란트 실패에 교합이 어떤 영향을 주는지가 분명하게 밝혀지지는 않았다. 임플란트 실패가 발견된 경우 "교합 과부하"가 언급될 수 있지만 임플란트 교합 과부하를 특징 짓는 것에 대한 정의는 거의 없다. 분명히 심한 스트레스를 유발하는 잘못 설계된 교합 접촉은 임플란트의 몸체를 구성하는 재료 또는 임플란트에 연결된 보철 구성 요소를 파괴할 수 있다. 이러한 유형의 과부하는 일반적으로 임플란트 픽스쳐의 파절, 지대주의 파절, 고정 나사의 마모 또는 크라운의 파절로 나

타난다. 이러한 유형의 실패는 일반적으로 쉽게 식별 할 수 있으며 임플란트가 아닌 기존의 치과 영역에서도 유사한 유형의 실패가 발생한다. 임플란트의 골유착 실패 및 임플란트 주위의 골 소실의 진행에서 교합의 영향은 더욱 명확하지 않다. 이 장에서는 임플란트 실패에서 교합의 영향에 대해 현재 알려진 사항과 교합과 관련된 임플란트 문제를 피하는 방법에 대해 설명하겠다.

2. 치주 질환에서 교합 응력의 영향

교합이 임플란트 실패와 관련이 있다는 사실은 아마도 교합이 자연치 주변의 치주 질환의 진행과 관련이 있다는 사실에 근거 할 것이다. 교합이 치주 질환의 진행에 영향을 미치는 것을 보여주는 임상 시험은 없지만, 치료되지 않은 교합 문제가 자연치 주변의 치주낭 탐침 깊이의 증가와 관련이 있음을 보여주는 보고가 있다. 그러나 자연치 주변의 질환 진행에서 얻은 데이터를 임플란트 주변의 골소실에 적용해서는 안된다. 임플란트의 지지 구조는 자연치의 지지 구조와 완전히 다르다. 이로 인해, 치주 질환과 임플란트 골 소실에서 동일한 병리 생리학적 인자가 작용할 가능성은 거의 없다. 독자는 두 질병이 동일하다고 생각해서는 안된다.

3. 조기 임플란트 실패(early Implant Failure)

교합력은 종종 조기 임플란트 실패의 원인으로 보인다. 조기 임플란트 실패는 전형적으로 임플란트가 식립된 직후에, 그리고 종종 임플란트가 로딩되어 기능하기 전에 발생한다. 이러한 유형의 조기 실패의 전형적인 예는 새로 식립된 임플란트와 접촉하는 임시 부분 틀니("플리퍼")를 사용하여 발생할 수 있다. 많은 경우에, 임시틀니는 임플란트 힐링 어버트먼트에 움직임을 가하여 임플란트를 느슨하게 하거나 골유착 실패에 기여한다. 종래의 형태의 임시부분틀니를 임플란트에 압력이 전달되지 않는 방식으로 만들기는 어렵기 때문에, 이러한 유형의 임시부분틀니는 일반적으로 대부분의 임플란트 식립 후에 금기이다. 환자의 심미적 요구를 충족시키기 위해 임시부분틀니가 필요한 경우 Essix 유형의 임시 보철물 또는 Snap-On-Smile (Den-Mat, Lompoc, CA, USA)과 같은 부분 틀니가 선호된다. 새로 식립된 임플란트에 교합력을 가하지 않는 다른 옵션은 발치한 치아의 크라운이나 인공레진치를 인접한 치아에 임시로 접착하는 것이다. 어떤 방법이든 임시 수복물은 임플란트와 접촉하지 않도록 주의해야 한다.

4. 임플란트의 즉시 및 조기 부하

임플란트 식립 시 또는 임플란트 식립 후 몇 주 내에 임시 크라운을 로딩하는 임플란트의 즉시 또는 조기 부하라는 용어의 사용이 증가하고 있다. 임플란트의 즉시 부하는 임플란트가 식립될 때 또는 임플란트가 식립된 직후에 지대주 및 임시 크라운을 장착하는 것을 의미한다. 조기 부하는 임플란트 식립 몇 주 내에 지대주 및 임시 크라운을 장착하는 것이다. 이러한 접근법을 잘못 사용하면 임플란트 실패가 발생할 수 있다. 이러한 기술을 사용하려면 몇 가지 요소가 필요하다. 임플란트는 식립 시 고정이 좋아야 한다. 이는 임플란트 부위에 치밀골(II형 골)이 있고, 드릴링이 수정없이 수행된 경우(구멍의 크기가 임플란트의 크기와 일치함) 가능하다. 식립 토크는 25 N/cm와 지대주 토크 35 N/cm보다 커야 한다. 이 수준의 안정성을 얻지 못하면 임플란트의 즉시 또는 조기 하중은 금기가 될 수 있다. 악궁의 모든 치아를 임플란트를 이용해 임시 수복하는 것이 아니라면, 임시 보철물은 대합치와 교합되지 않도록 수복해야 한다. 추천되는 방법은 임시 보철물을 교합 접촉이 가능한 높이보다 3-4 mm 짧게 제작하는 것이다. 이 정도의 공간에도 불구하고, 대부분의 환자에서 저작하는 동안 임시 크라운에 약간의 교합력이 가해질 수 있다.

임플란트의 즉시 또는 조기 부하는 연조직 성형이 가능하고 환자의 만족도가 높은 등, 많은 이점을 갖지만 임플란트의 안정성에 의문이 있는 경우는 로딩을 피해야 한다. 교합 응력을 피하기 위해 많은 주의를 기울이더라도, 환자가 기능 할 때 임플란트에 대부분 교합력이 가해지게 되고 이로 인해 조기 임플란트 실패가 발생할 수 있다. 상악 전체를 덮는 경질 아크릴 나이트가드를 착용하면 수면 중 응력은 줄일 수 있다.

5. 재료의 실패

임플란트 및 보철물에 가해진 과도한 교합력이 임플란트 자체 또는 임플란트에 부착된 보철물의 실패를 유발할 수 있다. 표준 직경 티타늄 임플란트의 파절은 비교적 드물지만, 발생할 수 있다. 임플란트의 근첨 부분에 빈 공간이 있고 얇은 금속으로 둘러싸는 형태로 만들어진 "hollow body" 디자인을 갖는 초기 임플란트에서는 파절이 더 빈번했다. 임플란트가 단단한 부분에서 hollow가 있는 부분으로 이행되는 곳에서의 파절이 흔했다. 이것은 교합 관계가 적절하게 부여된 환자에서도 발생하며, 이러한 장애는 교합 과부하로 인한 것이라고 말할 수도 있지만, 임플란트의 설계 실패로 인해 이러한 파절이 특정 부위 위주로 발생했을 가능성이 높다. 내부에 빈 공간이 없이 솔리드한 형태로 제작된 임플란트의 파절은 보통 임플란트의 작은 직경과 관련이 있다. 기존의 임플란트 픽스쳐는 일반적으로 직경이 3-5 mm이다. 이보다 작은 직경을 가진 임플란트는 감소된(reduced) 직경의 임플란트로 간주되며 교합 하중에서 파절되는 경향성이 더 크다. 감소된 직경의 임플란트가 특정 경우에 성공적으로 사용될 수 있지만, 이러한 임플란트의 교합 부하를 최소화하기 위해 주의를 기울여야 한다. 감소된 직경의 임플란트는 구치부에 사용될 때에는 스플린트 하는 것이 추천된다. 임플란트에 부착된 보철물이 교합 응력 하에서 파절되거나 변형될 수 있다. 이것은 지대주 파절, 브릿지 파절, 도재 파절, 나사 파절 등의 형태로 나타날 수 있다. 자연치와 마찬가지로 이러한 유형의 손상을 최소화하기 위해 기본적인 교합 관계를 유지해야한다. 교합 패턴의 디자인은 이 챕터의 뒷부분에서 설명하겠다.

6. 교합과 관련된 임플란트 주위 질환 및 골 소실

임플란트 주변 질환의 진행에서 교합의 역할에 대해 보고한 문헌은 거의 없다. Graves는 단지 횡단분석 결과를 보고하였는데, 임플란트 크라운의 교합 접촉을 관찰한 다음 이러한 접촉 여부를 임플란트 주위 점막염의 존재와 연관시키는 것이었다[1]. 이 보고들에서 교합 접촉을 평가하기 위해 종래의 교합지를 사용하는 방법뿐만 아니라 디지털화 된 방법(TekScan. South Boston. MA. USA)도 사용하였다. 교합 인자와 임플란트주위 점막염의 존재 사이에는 상관 관계가 발견되지 않았다. 이와는 대조적으로, 몇몇 연구들은 수년에 걸쳐 많은 수의 임플란트를 추적 관찰한 후에 임플란트의 상실이 이갈이(bruxism)와 연관되어 있다고 보고하였다[2]. 이 연구들에서, 이갈이 여부는 환자에 의해 자발적으로 보고되거나 치아의 심한 마모면에서 진단한 것으로 보인다. 또한, 대부분의 경우, 이갈이로 진단되고 임플란트를 상실한 환자가 어떤 유형의 나이트가드를 사용하였는지에 대해서는 언급되지 않았다. 일상적인 이갈이로 임플란트에 가해지는 힘이 임플란트 주변 질환에 영향을 줄 수 있다는 생각은 합리적이지만, 이러한 통제되지 않은 사례들의 보고를 임플란트 상실에 관한 근거로 사용하기에는 증거능력이 약해 보인다.

임플란트 표면의 부식과 그에 따른 티타늄 입자의 발산을 임플란트의 실패와 연관 짓는 문헌들이 점점 늘어나고 있다[3]. 현재까지는 티타늄 입자가 실패한 임플란트와 관련되어 있음을 보여주는 연구는 한 개가 있다[4]. 이 연구에서 티타늄 입자는 실패한 임플란트를 둘러싼 결합 조직에서 관찰되었다. 또한, 염증 세포가 매립된 티타늄 입자를 둘러싸는 것이 발견되었다. 이들 티타늄 입자가 임플란트 상실의 요인이라는 결론을 내리지는 않았지만, 이러한 결합조직에 매립된 금속 입자가 임플란트 주변 골 소실에 영향을 줄 수 있다는 우려가 있다. 플라그와 같은 산성 환경에 임플란트가 노출되면 임플란트의 외부 표면에 부식이 발생하는 것으로 나타났다. 이러한 부식된 부위의 기계적 응력은 티타늄 입자를 흘리게 할 수 있으며, 이는 임플란트 주변 질환에서 보이는 염증의 원인이 될 수 있다. 이러한 맥락에서, 임플란트에 대한 교합 응력은 티타늄 금속이 임플란트 본체로부터 떨어져 나오게 하는 원인일 수 있다. In vitro 연구에 따르면 교합 하중과 유사한 반복된 기계적 응력으로 인해 부식된 티타늄 표면이 입자를 흘릴 수 있었다[5]. 흘려진 티타늄 입자와 관련된 염증이 임플란트 주위의 골 소실에 영향을 미치는 요인이라면 교합은 이 질환 진행의 한 요인이 될 수 있으며, 이것이 임상 관찰 연구에서 임플란트 실패와 교합 과부하의 연관성이 발견되었던 이유가 될 수 있다. 이와 관련하여 계속 연구가 진행 중이다.

7. 임플란트 유지관리에서의 교합

임플란트가 상실될 때의 교합의 역할에 관한 데이터는 드물기 때문에, 자연 치아에 대한 치의학에서 연구되었던 보철 지식을 동원하여 임플란트에서의 교합 문제를 예방하여야 한다. 임플란트 보철을 수복하기 전에 치아의 마모면을 평가해야 할 뿐만 아니라, 중심위와 측방운동 시에서의 교합 관계도 세밀하게 평가해야 한다. 상당한 교합 불일치가 존재하는 경우, 임플란트 보철을 수복하기 전에 기존 치열의 교합을 조정해 주어야 한다. 그래야 임플란트 보철 수복 시에 교합 간섭을 최소화할 수 있다.

생물학적 관점에서 입증되지는 않았지만, 공학 원리에 따르면 임플란트와 같은 둥근 금속 막대 지지대는 응력이 금속 지지대의 장축에 평행하게 가해질 때 응력 하중을 가장 잘 견뎌 낼 수 있다. 그래서 임플란트의 축 방향으로 교합 하중이 가

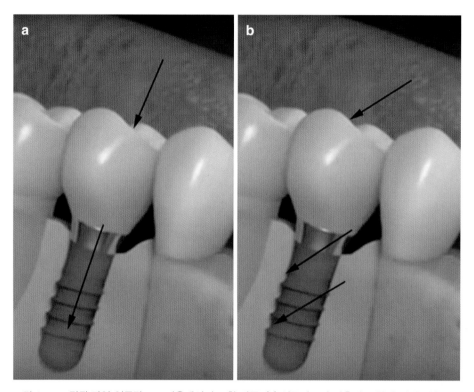

그림 9-1 고립된 단일 임플란트 크라운에서의 교합 하중. (a) 임플란트의 장축에 교합 응력이 작용되는 단일 임플란트. 이것은 이상적인 부하 패턴으로 간주된다. (b) 주요 교합력이 임플란트 픽스쳐와 크라운에 사선방향으로 작용하여 회전력을 발생시키는 하중. 이러한 유형의 교합접촉은 임플란트에 과도한 응력을 가할 수 있으며 임플란트 골 소실 및 실패를 유발할 수 있다.

해지면 임플란트가 응력을 가장 잘 지지할 수 있다는 것이 논리적이다. 치과 용어로 설명하면, 임플란트의 장축 방향으로 교합력이 가능한 최대로 작용하도록 해야 함을 의미한다(그림 9-1, 9-2). 이는 또한 가능한 회전력이 가해지지는 않도록 피해야함을 의미한다. 임플란트 교합에 대한 다음 제안은 자연치에서의 치주적 손상을 유발하는 교합 접촉에 대한 연구를 기반으로 한다.

　구치부 자연치에서는 측방 운동 및 전방 운동시의 응력은 최소화되어야 한다. 자연치에 대한 연구에 따르면 중심위, 균형측, 전방운동 시에서의 조기 접촉은 치주낭을 깊어지게 하는 등의 위해한 결과를 초래한다[6]. 구치부 자연치의 작업측

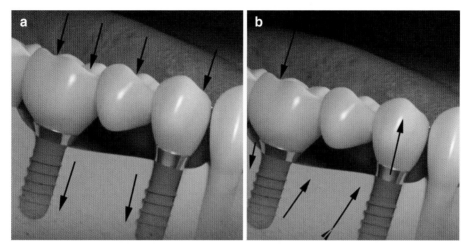

그림 9-2 멀티유닛 임플란트 브리지에서의 교합 하중. (a) 교합 응력이 임플란트의 장축에 있도록 부하. 지대주 크라운과 폰틱의 교합은 임플란트와 동일한 축에 있다. 이것은 이상적인 로딩 패턴으로 간주된다. (b) 주요 교합력이 원심쪽 지대주 크라운에 조기 접촉하는 멀티유닛 임플란트 브릿지의 하중. 이것은 환자가 "높은 타격"을 한 다음 최대 교합 접촉으로 "슬라이드"하는 "조기 접촉"일 것이다. 이러한 유형의 교합점은 초기 접점에 큰 응력을 가하고 전체 브리지를 수직 및 측방으로 회전시킨다. 자연치에서 이것은 가장 위험한 유형의 교합 접촉이며 임플란트지지 보철물도 손상시키는 것으로 추정된다.

접촉은 균형측 접촉에 비해서는 위해하지 않지만, 치주낭을 심화시키는 데에는 영향을 미친다. 자연치에 대한 이러한 관찰에 비추어 볼 때, 구치부 임플란트는 조기 접촉 같은 간섭 없이 중심 교합에서만 접촉만을 가져야 한다. 이것은 보통 조기 접촉이 없고 최초 접촉(중심위)과 최대 접촉(중심 교합) 사이에 슬라이드가 없는 교합으로 설명된다.

전치부 영역에서는 전방운동시의 접촉을 피하기 어렵고, 이는 임플란트에 회전력을 가하는 결과를 유발한다. 따라서 전치부에서는 전방력이 가능한 넓은 범위에 작용되도록 분산시켜주어서, 단일 임플란트에만 과도한 응력이 가해지지 않도록 주의해야 한다. 전방운동 시의 응력을 감당해줄 강한 자연치가 존재하지 않거나, 짧거나 작은 직경의 임플란트를 식립해야 하는 상황이라면 임플란트들을 스플린트하여 응력을 분산시키는 것을 고려해야 한다.

8. 이갈이(Bruxism)

이갈이는 임플란트 상실과 관련이 있다고 보고된 유일한 교합 외상의 형태이므로 모든 임플란트 환자에서 이갈이를 고려해야 한다. 환자에게 이갈이의 병력이 있는지 물어보고 임플란트 실패와 관련이 될지를 논의해야 한다. 기존 교합을 신중하게 평가하여 이갈이 또는 이악물기와 같은 비기능습관이 있는지 판단해야 한다. 마모면(facet)이라고 알려진 교합면의 평평한 마모 패턴은 과거 또는 현재의 이갈이 병력을 나타낸다. 현재 또는 과거에 이갈이 습관에 대한 징후가 있는 경우 환자는 나이트가드 역할을 하는 경질 아크릴 교합 장치를 상악에 착용해야 한다. 그것의 필요성에 대한 증거는 없지만, 일부 임상가들은 임플란트를 수복한 후에 모든 임플란트 환자들에게 나이트가드를 처방해야 한다고 주장한다. 모든 임플란트 환자에 나이트가드를 제작하는 것은 지나치게 조심하는 것일 수도 있지만, 특히 이갈이 같은 비기능 습관은 임플란트 상실과 직접적으로 관련된다고 보고된 몇 안되는 교합 양상 중 하나이다. 이러한 관점에서 볼 때, 모든 임플란트 환자에 대해 나이트가드를 사용하는 것이 안전한 예방 조치 일 수 있다.

9. 요약

교합 응력은 종종 임플란트 및 보철물의 실패 요인으로 여겨진다. 그러나 임플란트주변 질환의 원인 인자로서 교합을 보고하는 문헌은 거의 없다. 교합이 기여 요인이라는 증거가 부족함에도 불구하고, 임플란트지지 보철물에 대한 교합을 신중히 평가해야 하고 자연치에서 해로운 것으로 여겨졌던 교합 응력을 임플란트에서도 최소화해야 한다. 또한, 보철물은 자연치열에 대한 마모나, 지지되는 임플란트의 수, 임플란트의 직경, 길이 등을 고려하여 디자인하여야 한다. 모든 수복 치의학에서와 마찬가지로, 자연 치아와 임플란트들이 얼마만큼의 지지를 제공할 수 있을지가 가장 중요한 요소이며, 이를 고려하여 보철물을 디자인 하여야 한다.

교합 응력은 임플란트 실패와 관련이 있다고 여겨지는 경우가 많지만, 교합을 위험 인자로 생각할 증거는 별로 없다. 임플란트의 장축 방향으로 응력을 작용시키는 적절한 보철 수복 방법으로 교합하중에 의한 잠재적 손상 가능성을 최소화할 수 있을 것이다.

Reference

1. Graves GV, Harrel SK, Rossmann JA, et al. The association between occlusion and peri-implant conditions around single unit dental implants. Accepted for publication Int J Perio Rest Dent.

2. Zhou Y, Gao J, Luo L, Wang Y. Does bruxism contribute to implant failure? A systematic review and meta-analysis. Clin Implant Dent Relat Res. 2016;18:410–20.

3. Rodrigues DC, Valderrama P, Wilson TG, et al. Titanium corrosion mechanisms in the oral environment: a retrieval study. Materials. 2013;6:5258–74.

4. Wilson TG Jr, Valderrama P, Burbano M, et al. Foreign bodies associated with peri-implantitis human biopsies. J Periodontol. 2015;86:9–15.

5. Sridhar S, Abidi Z, Wilson TG Jr, Valderrama P, Wadhwani C, Palmer K, Rodrigues DC. In vitro evaluation of the effects of multiple oral factors on dental implants surfaces. J Oral Implantol. 2016;42(3):248–57.

6. Harrel SK, Nunn ME. The association of occlusal contacts with the presence of increased periodontal probing depth. J Clin Periodontol. 2009;36:1035–42.

DENTAL IMPLANT FAILURE

CHAPTER

10

임플란트 유지 관리를 위한
내원 시의 일반적 절차

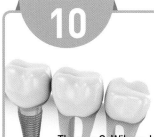

10

임플란트 유지 관리를 위한 내원 시의 일반적 절차

Thomas G. Wilson Jr. / Private Practice of Periodontics, Dallas, TX, USA / e-mail: tom@northdallasdh.com

핵심 정리

- 임플란트 실패는 대부분 골유착 이후에 발생한다.
- 문제의 원인이 초기 단계에서 발견되고 치료 될 수 있다면, 대부분의 경우 임플란트는 생존할 수 있다.
- 임플란트 건강 상태는 치주 탐침(프로빙)과 시간의 경과에 따라 촬영된 직각 방사선 사진을 이용할 때 가장 잘 분석된다.
- 적절한 치료 방법은 적절한 진단에 따라 결정된다.
- 임플란트 주위 점막염은 자가 구강 위생 관리와 멸균한 식염수와 코튼 펠렛을 사용한 전문가 구강 관리로 가장 잘 치료된다.
- 임플란트 주위염은 종종 외과적 치료가 필요하며 결과가 항상 예측 가능한 것은 아니다.

임플란트가 겪는 많은 문제들은 자연치아들과도 연관되어 있다. 그러므로 이러한 임플란트의 유지 관리를 시행하는 것이 좋다. 이 가설은 여러 문헌에서 입증되었다[1-7]. 이 챕터에서는 치과 임플란트 환자의 유지 관리를 위한 현재 접근 방식에 대해 자세히 설명한다. 임플란트 주변 문제의 원인이 자연치 주변에서 보여지는 것과 유사한 것으로 나타났기 때문에, 임플란트 환자에 대한 전형적인 유지 보수 내원 방법은 치주환자에서의 유지 보수 내원 방법과 유사할 것이다.

1. 의과 및 치과 병력

전형적인 내원 방문은 환자의 병력에 대한 점검으로 시작한다. 여기에는 건강, 입원 및 약물의 변화가 포함된다. 환자의 혈압을 측정하고 기록한다. 환자의 치과 또는 의과 병력에 대한 우려 또는 변동 사항이 기록된다.

2. 구외 및 구내 검사

구외검사는 측두하악관절과 저작근의 검사를 포함하여 머리와 목 부분의 간단한 검사를 시행한다. 그런 다음 점막 표면, 혀 및 인두의 평가를 포함한 구강 조직을 철저히 검사한다. 검사 수행 여부와 결과를 기록한다.

3. 치아와 임플란트의 동요도

치아와 임플란트 동요도는 양방향에서 검사하고(그림 10-1) 대합치아와의 fremitus (기능 시 치아 이동)를 확인한다(그림 10-2). 보철물의 파절, 마진의 결함, 동요도를 검사한다. 치아는 우식이 있는지 검사한다. 검사 결과와 양성 반응을 기록한다. 통증이 없는 임플란트 동요도는 보통 크라운 또는 지대주에서 문제가 발생했음을 나타낸다. 심한 통증은 대개 임플란트의 실패를 나타낸다.

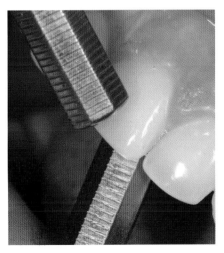

그림 10-1 두 개의 기구의 무딘 끝이 치아 동요도를 검사하는데 사용된다(표 10-1 참조).

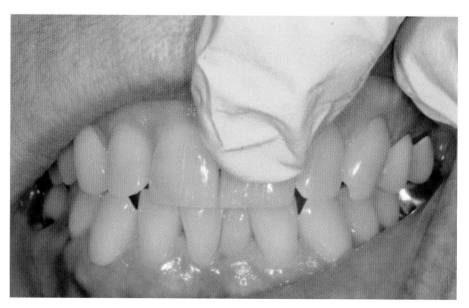

그림 10-2 기능 중 느껴지는 치아의 움직임은 모두 fremitus이다.

표 10-1. **치아 동요도 검사법(Bidigital Tooth Mobility) 분류 방법**

0급	생리적 동요도; 단단함.
I급	동요도가 약간 증가
II급	동요도가 크게 증가하지만 기능 장애는 없음
III급	극도의 동요도; 기능 시 불편감(+ 기호는 중간 값에 사용될 수 있다. 예: 1+). 이 접근 방식은 분명히 술자마다 판정 결과가 다를 수 있다. 그러나 한 치과 내에서는 어느 정도의 재현성이 확보될 것이다[8].

4. 치주 탐침(프로빙)

프로빙은 각 자연치마다 6군데에서 측정되며, 각 임플란트에서도 6군데까지 측정될 수 있다(그림 10-3). 현재 자연치에는 주로 금속 프로브가 추천되며, 임플란트에는 주로 밀리미터 마커가 있는 유연한 플라스틱 프로브가 권장된다.

시멘트 수복물 임플란트 주변을 조사 할 때는 출혈이 있는지 확인하는 것이 특히 중요하다. 구강위생이 좋은데 프로빙 시 출혈이 있는 시멘트 유지형 임플란트는 대개 조직 내에 잔존 시멘트를 가지고 있기 때문이다[9]. 이 잉여 시멘트는 임플란트 주변 질환과 밀접한 관련이 있는 것으로 나타났다[10]. 또한 자연치아 주변의 깊은 프로빙 깊이를 기록하는 것도 중요하다[11]. 그 후 진단이 가능하다. 임플란트 주위 점막염은 프로빙 시 출혈과 조직 색의 변화가 특징이다. 현재는 세균성 플라그에 의한 것으로 추정하고 있다. 임플란트 주위염은 방사선 사진에서 골의 점진적인 소실을 보이고 프로빙 깊이가 증가하는 것과 연관되고 염증과 관련이 있다[12].

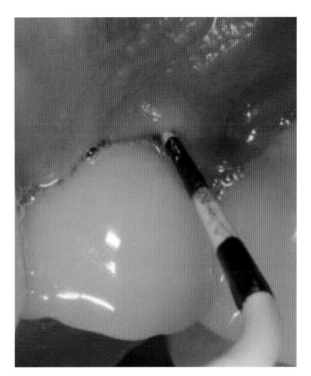

그림 10-3 유연한 플라스틱 프로브

5. 치료

에어로졸을 생성할 장치를 사용하기 전에 먼저 클로르헥시딘 글루코네이트 0.12%(CHX)로 30초 가량 헹구어야 한다. 이것은 구강 내에서 미생물 총을 현저히 감소시켜서 이 박테리아가 술자와 환자 모두에게 퍼질 가능성을 감소시킨다[13]. 그런 다음 자연치와 임플란트 보철물을 모두 고무 컵으로 연마한다. 그 다음 자연 치열의 치은연상, 치은연하 치석을 제거한다. 임플란트 주위의 치은연하 치석을 탐지한다.

6. 임플란트 주위 점막염(peri-implant mucositis)의 진단 – 치료 옵션 1

임플란트의 티타늄 산화물 층은 골유착을 달성하는 데 필요하다. 이 층은 매우 얇고 쉽게 제거된다. 유지 관리 절차 중에 이 층이 제거되면, 새로 형성되지 않는다. 임플란트 주변 점막염은 자주 발생한다[14]. TiO 층이 유지 요법 후에 생체 내에서 재생되지 않는다는 것을 인정한다면(6장 참조), 임플란트 표면을 손상시키지 않도록 모든 노력을 해야한다. 따라서 임플란트 주변 점막염 진단 시 임플란트의 치은 부위에 박테리아를 제거하기 위해 일반 식염수에 담근 코튼 펠렛의 사용을 제안한다(그림 10-4). 이 접근법의 이론적 근거는 11장에서 상세히 설명하겠다. 잔류 티타늄 산화물 층을 가능한 한 그대로 유지하면서 박테리아를 제거하려고 시도해야 한다. 노출된 임플란트 표면에 치은연상 치석이 존재하는 경우 예리한 큐렛으로 제거할 수 있다. 큐렛이 추천되는 이유는 최근의 연구에서 다른 기계 장치를 사용하면 임플란트 표면에서 티타늄 입자가 제거될 수 있다고 보고되었기 때문이다[15]. 임플란트에서의 큐렛 동작은 날을 sulcus 벽쪽으로 돌린 상태에서 큐렛(일반적으로 금속성)을 사용하여 시행한다(그림 10-5). 이 청소의 목적은 연조직에 축적되었을 수 있는 잔존 시멘트, 티타늄 및 미생물 침전물의 입자를 제거하는 것이다.

점막염의 경우, 환자의 구강 위생 관리를 강화시키고 CHX 가글을 BID로 처방한다. 해당 부위는 1 개월 후에 재평가한다. 두 번째 방문에서 환자의 구강 위생 상태가 양호하지만 프로빙 시 출혈이 발견되면 주변 연조직에 이물질이 있을 가능성이 높은 것이다. 시멘트 유지형 보철물이라면 이물질은 대부분 과잉 시멘트이거나 경우에 따라서는 티타늄일 것이다. 이러한 경우, 함입된 이물질의 제거가 용이하도록 임플란트를 둘러싸는 연조직의 외과적 제거가 종종 권장된다. 판막을 거상한 후 이 입자를 제거하는 것이 유리하다. 이 판막술은 임플란트 표면에 시각적으로 접근하고 시멘트를 제거하는 데 사용된다. 임플란트 표면의 시멘트 제거는 날카로운 금속성 큐렛으로 행하고, 임플란트 표면의 손상을 피하기 위해 노력

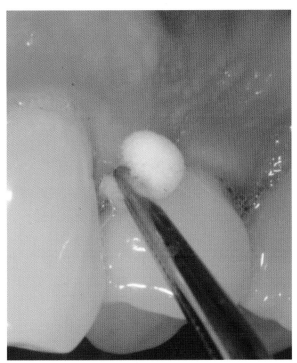 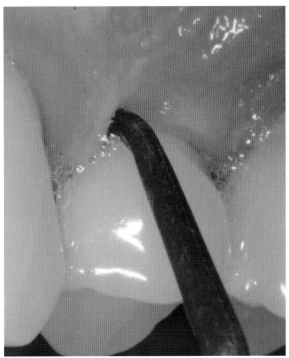

그림 10-4　식염수에 적신 코튼 펠렛을 사용하여 임플란트 표면 을 부드럽게 청소한다.

그림 10-5　큐렛을 열구 벽쪽으로 향하게 하여 잔해물을 제거하 는 데 사용한다.

을 기울여야 한다. 우리의 임상에서 이 접근법은 치과 내시경 또는 대부분의 경우 치과 비디오 스코프를 사용하면 도움이 된다(11장 참조). 주변 연조직도 제거하기 위해 모든 노력을 기울여야한다. 이것은 시멘트 및 티타늄의 잔류물을 염증세포 가 둘러싸고 이것이 조직에 함유되어 있기 때문이다. 전문가에 의뢰하는 것도 고 려해야 한다. 임플란트 주변 조직의 건강 회복은 치은염을 가진 조직에 비해 지연 된다는 점에 주목해야한다[16].

7. 임플란트 주위 점막염(peri-implant mucositis)의 진단 – 치료 옵션 2

많은 사람들은 TiO 표면이 생체 내에서 재형성될 것이거나, 또는 재형성이 중요하지 않으며, 부착 된 이물질을 제거하기 위해 임플란트 표면의 철저한 세정이 필요하다고 생각한다. 이 것을 달성하기 위하여 많은 종류의 기구들이 제안되었는데, 플라스틱, 스테인리스 스틸, 티타늄, 그리고 금박 스케일러 등이다. 초음파 팁은 종래의 것, 플라스틱 코팅, 그리고 금속 합금 팁 등이 사용되었다(그림 10-6). 연마 페이스트, air-power abrasives, 그리고 glycine power가 제안되었다(리뷰를 위해선 [7]참조). 저자는 이 모든 방법이 TiO 층을 제거하여 임플란트 표면의 생체 적합성을 떨어뜨린다고 생각하는데, 특히 판막을 거상하지 않는 비외과적인 방법을 사용했을 때 그렇다. 이러한 가설은 현재 논쟁 중이다.

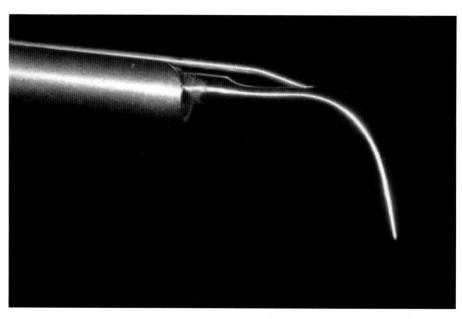

그림 10-6 일부 임상가는 임플란트 표면에 손상이 가해지더라도 임플란트를 "해독"하기 위해 금속기구를 선호한다[15].

8. 임플란트 주위염(peri-implantitis)의 진단

염증의 임상 증상을 동반한 점진적인 골 소실이 보이면, 진행을 중지시키고, 좋은 방향으로 역전시키기위한 조치를 취해야 한다. 이러한 문제를 치료 한 경험이 있는 임상가에게 의뢰하는 것이 좋다(11장 참조).

9. 교합

임플란트 주변 질환에 대한 교합의 영향은 논란의 여지가 있다. 과도한 교합력으로 인해 임플란트 크라운, 나사 및 임플란트 픽스쳐가 파절될 수 있음은 잘 알려져 있다. 결론적으로, 교합력의 영향을 주기적으로 평가할 것을 제안한다(9장 참조). 과도한 교합력은 부적절한 교합 관계, 특히 이갈이로 발생할 수 있다. 이러한 과도한 저작력의 임상적 징후는 상부 보철물의 파절, 나사 풀림이나 파절, 또는 임플란트의 동요도 등으로 명확히 나타날 수 있다. 일부 환자는 측두하악관절의 증상이 발생하는 반면 다른 환자는 임플란트와 대합되는 악궁에서 치아의 fremitus 또는 찬물에 시린 증상을 보인다. 과도한 교합력으로 인한 피해 가능성 때문에 저자는 대부분의 환자에서 상악 경질 아크릴 풀 커버리지 나이트가드를 제작하는 것이 적절하다고 생각한다. 이것은 이갈이 환자에게 특히 그렇다.

10. 방사선 사진

치근단 방사선사진과 바이트윙 사진같은 직각 방사선 사진을 적절한 시간 간격으로 촬영해야 한다. 임상적 염증 징후가 없거나 탐침 깊이가 증가하지 않는 환자의 경우 5년마다 촬영할 수 있다. 임플란트 주변 질환의 징후를 보이는 경우는 보

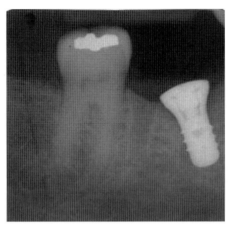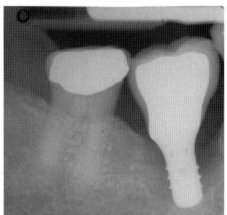

그림 10-7 11년 간격으로 촬영된 직각 치경부 방사선 사진

다 빈번한 방사선 사진 촬영이 필요하다(그림 10-7).

11. 행동 변화와 구강 위생

행동 변화는 다음으로 다루어진다. 이것은 흡연, 당뇨병, 갑상선 및 부갑상선 장애를 포함한 치주 및 임플란트주위 질환에 부정적인 영향을 줄 수 있는 기타 전신 질환 또는 습관을 감소시키거나 제거하는 것을 포함한다.

그런 다음 환자의 구강 위생을 평가하고 적절한 개선을 제안한다. 부드러운 수동 또는 전동 칫솔은 치은연에 45도 각도로 최소 2분 동안 사용해야하다. 치간 공간의 크기에 따라 치실 또는 치간 칫솔같은 치간 위생관리 보조기구를 적절하게 사용해야한다. 임플란트의 치은연이 인접한 치아에 비해 근첨측에 위치한 부위에서는 Sulcabrush, end tuft brush 또는 implant care brush와 같은 치은열구 세정 보조기구가 도움이 될 수 있다. 적절한 자가 구강 위생 관리로 인한 긍정적인 영향은 아무리 강조되어도 지나치지 않다.

12. 유지 관리 간격

자연치가 일부만 있는 환자의 유지 간격 설정은 치주 상태 및 임플란트 주변 조직의 상태를 고려해야 한다[17, 18]. 일반적으로 이것은 건강한 치주 및 임플란트 조직을 가진 개인이 1년 간격으로 유지 관리할 수 있음을 의미한다. 한 연구는 치주염 환자보다도 임플란트 환자에 대해 유지 관리 간격을 준수하는 것이 더 좋다고 결론지었다[19]. 치은염(또는 잔존 시멘트와 관련이 없는 임플란트 주위 점막염)이 있는 환자는 대개 약 6개월마다 내원 시킬 수 있지만 치주염이 있는 사람은 더 자주 내원 시켜야 할 수 있다[20]. 정기적인 유지 보수 방문 약속을 지키고 높은 수준의 자가 구강 위생 관리를 유지하는 치주염 환자는 임플란트 주변에서 골소실이 최소화되는 것으로 나타났다[21, 22]. 임플란트 유지 관리 일정은 달력이 아닌 질환에 맞추어 설정해야 한다. 요약하면, 치과용 임플란트 환자의 유지 관리는 임플란트의 생존에 결정적인 역할을 할 수 있다.

13. 요약

임플란트는 정기적인 일정으로 유지 관리해야 한다. 임플란트 주변 질환의 치료는 현재 논란의 여지가 있으며, 임상가는 신중하게 치료에 접근해야 한다. 임플란트 주위 질환을 조기에 치료하지 못하면 나중에 임플란트 합병증을 유발할 수 있다.

Reference

1. Armitage GC, Xenoudi P. Post-treatment supportive care for the natural dentition and dental implants. Periodontol. 2016;71(1):164-84. https://doi.org/10.1111/prd.12122.

2. Costa FO, Takenaka-Martinez S, Cota LO, Ferreira SD, Silva GL, Costa JE. Peri-implant disease in subjects with and without preventive maintenance: a 5-year follow-up. J Clin Periodontol. 2012;39(2):173-81. https://doi.org/10.1111/j.1600-051X.2011.01819.x.

3. Jepsen S, Berglundh T, Genco R, Aass AM, Demirel K, Derks J, Figuero E, Giovannoli JL, Goldstein M, Lambert F, Ortiz-Vigon A, Polyzois I, Salvi GE, Schwarz F, Serino G, Tomasi C, Zitzmann NU. Primary prevention of peri-implantitis: managing peri-implant mucositis. J Clin Periodontol. 2015;42(Suppl 16):S152-7. https://doi.org/10.1111/jcpe.12369.

4. Lang NP, Wilson TG, Corbet EF. Biological complications with dental implants: their prevention, diagnosis and treatment. Clin Oral Implants Res. 2000;11(Suppl 1):146-55.

5. Monje A, Aranda L, Diaz KT, Alarcon MA, Bagramian RA, Wang HL, Catena A. Impact of maintenance therapy for the prevention of peri-implant diseases: a systematic review and meta-analysis. J Dent Res. 2016;95(4):372-9. https://doi.org/10.1177/0022034515622432.

6. Salvi GE, Lang NP. Diagnostic parameters for monitoring peri-implant conditions. Int J Oral Maxillofac Implants. 2004;19(Suppl):116-27.

7. Todescan S, Lavigne S, Kelekis-Cholakis A. Guidance for the maintenance care of dental implants: clinical review. J Can Dent Assoc. 2012;78:c107.

8. Fleszar TJ, Knowles JW, Morrison EC, Burgett FG, Nissle RR, Ramfjord SP. Tooth mobility and periodontal therapy. J Clin Periodontol. 1980;7(6):495-505.

9. Korsch M, Walther W, Bartols A. Cement-associated peri-implant mucositis. A 1-year follow- up after excess cement removal on the peri-implant tissue of dental implants. Clin Implant Dent Relat Res. 2017;19(3):523–9. https://doi.org/10.1111/cid.12470.

10. Wilson TG Jr, Valderrama P, Burbano M, Blansett J, Levine R, Kessler H, Rodrigues DC. Foreign bodies associated with peri-implantitis human biopsies. J Periodontol. 2015;86(1):9–15. https://doi.org/10.1902/jop.2014.140363.

11. Cho-Yan Lee J, Mattheos N, Nixon KC, Ivanovski S. Residual periodontal pockets are a risk indicator for peri-implantitis in patients treated for periodontitis. Clin Oral Implants Res. 2012;23(3):325–33. https://doi.org/10.1111/j.1600-0501.2011.02264.x.

12. Caton JG, Armitage G, Berglundh T, Chapple ILC, Jepsen S, Kornman KS, Mealey B, Papapanou PN, Sanz M, Tonetti MS. A new classification scheme for periodontal and peri-implant diseases and conditions - introduction and key changes from the 1999 classification. J Clin Periodontol. 2018;45(Suppl 20):S1–8. https://doi.org/10.1111/jcpe.12935.

13. Yadav S, Kumar S, Srivastava P, Gupta KK, Gupta J, Khan YS. Comparison of efficacy of three different mouthwashes in reducing aerosol contamination produced by ultrasonic scaler: a pilot study. Indian J Dent Sci. 2018;10:6–10.

14. Pontoriero R, Tonelli MP, Carnevale G, Mombelli A, Nyman SR, Lang NP. Experimentally induced peri-implant mucositis. A clinical study in humans. Clin Oral Implants Res. 1994;5(4):254–9.

15. Harrel SK, Wilson TG Jr, Pandya M, Diekwisch TGH. Titanium particles generated during ultrasonic scaling of implants. J Periodontol. 2018;90:241.

16. Salvi GE, Aglietta M, Eick S, Sculean A, Lang NP, Ramseier CA. Reversibility of experimental peri-implant mucositis compared with experimental gingivitis in

humans. Clin Oral Implants Res. 2012;23(2):182–90. https://doi.org/10.1111/ j.1600-0501.2011.02220.x.

17. Aguirre-Zorzano LA, Estefania-Fresco R, Telletxea O, Bravo M. Prevalence of peri-implant inflammatory disease in patients with a history of periodontal disease who receive supportive periodontal therapy. Clin Oral Implants Res. 2015;26(11):1338–44. https://doi.org/10.1111/ clr.12462.

18. Tonetti MS, Chapple IL, Jepsen S, Sanz M. Primary and secondary prevention of periodontal and peri-implant diseases: introduction to, and objectives of the 11th European Workshop on Periodontology consensus conference. J Clin Periodontol. 2015;42(Suppl 16):S1–4. https:// doi.org/10.1111/jcpe.12382.

19. Cardaropoli D, Gaveglio L. Supportive periodontal therapy and dental implants: an analysis of patients' compliance. Clin Oral Implants Res. 2012;23(12):1385–8. https://doi. org/10.1111/j.1600-0501.2011.02316.x.

20. Swierkot K, Lottholz P, Flores-de-Jacoby L, Mengel R. Mucositis, peri-implantitis, implant success, and survival of implants in patients with treated generalized aggressive periodontitis: 3- to 16-year results of a prospective long-term cohort study. J Periodontol. 2012;83(10):1213– 25. https://doi. org/10.1902/jop.2012.110603.

21. Aguirre-Zorzano LA, Vallejo-Aisa FJ, Estefania-Fresco R. Supportive periodontal therapy and periodontal biotype as prognostic factors in implants placed in patients with a history of periodontitis. Med Oral Patol Oral Cir Bucal. 2013;18(5):e786–92.

22. Pjetursson BE, Helbling C, Weber HP, Matuliene G, Salvi GE, Bragger U, Schmidlin K, Zwahlen M, Lang NP. Peri-implantitis susceptibility as it relates to periodontal therapy and supportive care. Clin Oral Implants Res. 2012;23(7):888–94. https://doi. org/10.1111/j.1600-0501.2012.02474.x.

DENTAL IMPLANT FAILURE

CHAPTER

11

고급 치료법

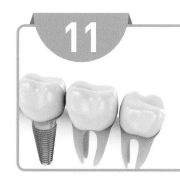

11

고급 치료법 (Advanced therapeutics)

Stephen Harrel and Jeffrey Pope

핵심 정리

- 임플란트 주위로 골소실이 존재하는 경우 향상된 진단 및 치료가 필요하다.
- 잔존 시멘트는 임플란트 주위 질환의 원인으로 알려져 있으며 첫 번째 단계에서 의심해 보아야한다.
- 시멘트가 있는 경우 초음파 스케일러가 아닌 큐렛(curette)으로 제거해야 한다. 비디오 내시경의 시각화를 통한 외과적 접근이 종종 필요하다.
- 재생을 목표로 하지 않는 외과 치료는 자연치의 치주수술과 유사하다. 수술적 치료는 예지성이 높으나, 비심미적 결과를 가져온다.
- 임플란트의 골재생과 재 골유착(re-osseointegration)은 다소 예지성이 떨어지고, 수술적 방법에대해서 논란의 여지가 있다.

1. 도입

임플란트 주위 질환은 일반적으로 염증과 탐침 시 출혈을 보인다. 골 소실의 증거가 없다면, 임플란트 주위 점막염으로 간주할 수 있다. 임플란트 주위 점막염은 가능한 한 보존적으로 치료해야 한다(제10장 참조). 깊어진 임플란트 주위낭, 진행성 골소실과 함께 염증의 임상적 징후와 관련이 있는 경우 이를 임플란트 주위염이라고 한다. 스케일링, 국소 항생제 및 전신 항생제와 같은 보존적 치료는 골 소실의 진행을 중단 또는 반전시키는 데 거의 효과적이지 않으며 지속적인 골 소실은 임플란트의 상실로 이어질 수 있다. 임플란트 주위염의 치료 및 그와 관련된 골 소실은 논란의 여지가 있으며 일반적으로 인정되는 치료법은 없다. 임상 조건에 맞게 치료법을 적용하여야 한다. 이 장에서는 임플란트 주위 질환이 있을 때, 적용할 수 있는 다양한 치료법과 고려해야 할 몇 가지 요소에 대해 설명하고자 한다.

2. 시멘트 유지형 대 나사 유지형 수복물

임플란트 수복을 시작하기 전에 보철물을 면밀히 평가해야 한다. 임플란트 주위 조직의 세정이 척을 허용하지 않는 풀린 임플란트 구조물 혹은 보철물을 먼저 기여 요인으로 생각해야 한다. 보철물이 정상적이라면, 다음 단계는 보철물이 시멘트로 유지되는지 나사로 유지되는지 확인하도록 한다. 잔존 시멘트가 임플란트 주위 질환의 주요 요인이라는 증거가 있다[1]. 보철물이 시멘트로 유지되는 경우, 여분의 시멘트가 존재하는지 확인하기 위해 상세한 검사를 수행해야 한다.

방사선 사진에서 잔존 시멘트를 확인하기는 어렵다. 이는 잔존 시멘트가 비교적 크고 근심 또는 원심 측에 존재하며 방사선 불투과성인 경우에만 가능하다(그림 11-1). 임플란트 지지 크라운을 유지하는 데 사용되는 많은 시멘트는 방사선 불투과성이 아니기 때문에 잔존 시멘트가 있는지 여부를 판단하기에 방사선 사진은 제한적이다. 방사선 사진에 과도한 시멘트가 보이면 임플란트 주위 질환의 원인이 비교적 분명하다. 방사선 사진에서 시멘트가 보이지 않더라도 시멘트의 존재를 배제하지 않으며 추가 감별 진단이 필요하다.

임상의가 치주 탐침 또는 익스플로러(explorer)로 시멘트의 존재를 감지할 수 있다면, 큐렛으로 시멘트를 제거 할 수 있다. 작은 박테리아 오염 시멘트 입자가 임플란트 주위 조직으로 퍼질 수 있으므로 초음파 스케일러의 사용은 금기이다. 주위 연조직의 시멘트 입자는 이물 반응 및 임플란트 실패와 관련이 있다[2]. 시멘트

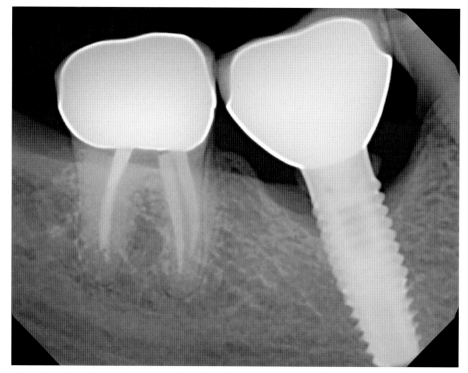

그림 11-1 방사선불투과성 잔존 시멘트가 임플란트의 근심 및 원심측에 있고, 임플란트 주위 골소실과 연관되어 있다. 방사선 투과성 시멘트는 방사선 사진에서 보이지 않을 수 있다.

를 손상되지 않은 상태로 제거하기 위해 모든 노력을 기울여야 한다. 임상의는 미세한 양의 잔존 시멘트조차도 임플란트 주위 질환과 연관있음을 명심해야 한다. 치주 탐침으로 매우 적은 양의 시멘트를 탐지하는 것은 거의 불가능하다. 임상의는 소량의 시멘트 입자를 감지하고 제거하기 위해 발전된 시각화 기술(치과 내시경 및 치과용 비디오 내시경)을 사용해야 할 수도 있다.

3. 치과 내시경(Dental Endoscope)

유리 섬유 내시경은 손상되지 않은 치주낭의 비수술 평가 및 치료를 위해 설계되었다. 이 기구는 초점 렌즈가 들어있는 멸균 일회용 칼집에 있는 0.9 mm 광섬유 번들로 구성되어 있다(그림 11-2). 조립된 기구는 직경이 2 mm 미만이며 마취없이 치아나 임플란트의 열구에 적용할 수 있다. 내시경은 외부 모니터에 임플란트와 열구사진을 제공한다. 임플란트의 시멘트 또는 파절과 같은 이상이 있는지 검사할 수 있다. 임플란트, 지대주, 또는 크라운에서 시멘트가 감지되면 큐렛 및 내시경을 통해 제거할 수 있다. 내시경의 장점은 비수술적으로 사용할 수 있어 가능하면 수술 없이 시멘트를 제거할 수 있다는 것이다. 내시경 사용 시 일상적으로 발생하는 몇 가지 문제가 있다. 이 중 하나는 모니터에서 이미지를 해석하기가 어렵다는 것이다. 유리 섬유 번들은 외부 카메라와 함께 사용되므로 모니터의 이미지가 흐릿하고 영상을 해석하기 어려운 경우가 많다(그림 11-3). 이 문제는 내시경의 렌즈에 잔사가 없도록 일정하게 물을 흐르게 하여 사용되기 때문에 더욱 악화된다. 치주낭 내 부유물과 물도 시야를 제한할 수 있다. 이로 인해 많은 사람들이 내시경을 사용하지 않게 되었으며 이 기기의 가용성은 제한적이다. 또 다른 우려는 외과적 접근 없이 잔존 시멘트의 제거가 어려울 수 있다는 것이다. 즉, 내시경으로 시멘트를 볼 수 있지만 시멘트를 제거하기 위해 외과적으로 접근해야 할 수도 있다. 그럼에도 불구하고, 많은 경우 내시경을 사용하는 것은 단순성 및 술 후 합병증의 최소화를 위해서 잔존 시멘트가 연관된 임플란트 주위 질환의 평가 및 치료에서 바람직한 첫 번째 접근법일 수 있다.

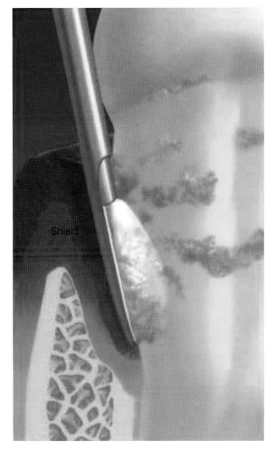

그림 11-2　치과 내시경이 치주낭의 열구내로(비외과적으로) 삽입되어 있다(John Kwan 박사 및 Zest Dental Solutions 제공).

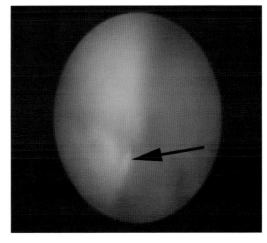

그림 11-3　내시경으로 보이는 임플란트의 잔존 시멘트(화살표)

4. 언제 수술해야 하는가?

임플란트 주위의 점진적인 골 변성(degeneration) 또는 내시경을 이용한 스케일링으로 잔존시멘트 제거가 불가능한 경우, 임플란트에 대한 외과적 접근이 필요하다. 임플란트 주위 질환이 비수술적 치료(즉, 열구 내 세척, 항생제 및 클로르헥시딘 린스)에 반응하지 않는 경우 수술적 방법 없이 질환을 치료하려는 시도는 도움이 되지 않을 것이라는 증거가 많이 있다(제10장 참고). 임플란트 주위 골 손실이 존재하고 골 손실 진행의 증거가 있는 경우, 반복적인 비수술적 치료는 유익하지 않으며 외과적 치료가 필요하다. 임상의가 설명된 치료 방법을 시행하는데 익숙하지 않고, 지속적인 골 손실이 확인되는 경우, 즉시 전문의에게 의뢰하는 것이 필요하다.

알 수 없는 원인으로 골소실이 일어나 이를 치료하거나 시멘트를 제거하기 위하여 외과적 접근이 결정되었다면, 임상의는 현재 사용되고 있는 여러 외과적 접근법을 알고 있어야 한다. 임플란트 주위로 골재생을 하거나 재 골융합(re-osseointegration)을 의도하지 않는 수술법은 비교적 간단하고 성공률도 높다. 임플란트 주위 골을 재생하고, 임플란트와 재 골융합을 시도하는 수술 법은 매우 다양하고 제한적이며 성공률도 다양하게 나타난다. 독자들이 수술을 시행할 계획이라면, 빠르게 변화하는 임플란트 주위염 치료 영역에 대한 최신 정보를 유지해야 한다.

5. 비재생적 치료

재생을 목표로 하지 않는 외과적 치료는 임플란트 성형술(implantoplasty)을 시행하거나 덜 공격적으로 접근하여 연조직의 위치를 좀 더 근단측으로 이동시키도록 한다. 두 술식은 임플란트 표면 자체를 처리하는 것만 제외하면 비슷하다. 비교적 크게 절개하여 임플란트 주위 골 소실 부위로 접근하도록 하는 것은 치아에서 시행되는 open flap debridement를 하는 것과 유사하다(그림 11-4).

육아 조직을 제거하고 골 구조를 평가하도록 한다. 골 소실 부위가 고르지 않은 경우, 골을 재형성해주어 임플란트 주위 연조직이 보다 근단측으로 위치될 수 있도록 한다. 이것은 치주 질환에 대한 골 수술(osseous surgery) 후 연조직이 근단 쪽으로 위치가 변경되는 것과 유사하게 임플란트 주위 연조직이 수정된 골 윤곽(contour)으로 놓여 근단측으로 이동할 수 있게 한다. 임플란트 성형술을 사용하면 임플란트의 노출된 나사산과 거친 표면을 연마하고 티타늄을 부드럽게 하여 임플란트 주위 연조직에 대한 자극은 줄이고, 세정력을 높일 수 있다(그림 11-5). 보다 보존적인 접근 방식에서는 노출된 스레드가 그대로 유지된다. 나사산을 그대로 두면 티타늄 입자로 인한 조직의 오염이 최소화되지만 환자가 청소하기에 매우 어려운 표면이 생성된다. 임플란트 성형술과 함께 근단변위 판막술을 시행하는 것은 임플란트 주위의 추가적인 골소실을 방지하기 위한 가장 예지성 있는 술식이다[3]. 그러나 이 접근법은 심미적 문제와 환자 불만족으로 제한적으로 이용된다(그림 11-6).

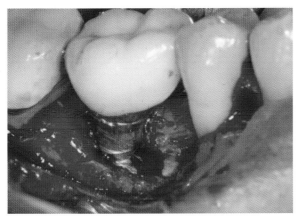

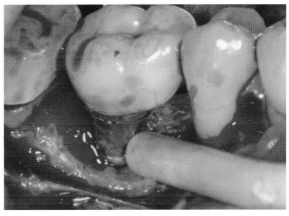

그림 11-4 비재생 술식을 위한 임플란트 주위 골손상 부위에 대한 전통적인(전층 판막) 접근. 임플란트 성형술(implantoplasty)을 포함하기도 한다.

그림 11-5 그림 11-4에 나타낸 임플란트 성형술 후 임플란트 모습. 나사산이 제거되고 임플란트 본체 표면이 매끈하게 된 것을 주목하라. 또한 임플란트를 매끄럽게 하는 동안 생성된 티타늄 입자를 모두 제거하기 위해 수술 부위를 세심하게 세척하고(irrigated) 흡입하였다(suctioned).

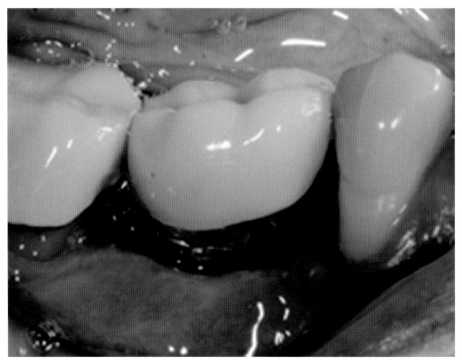

그림 11-6 그림 11-4 및 11.5에 보여준 수술 부위의 5년 후 결과. 조직은 근단으로 변위되었고, 보철물의 근단부위에 공간이 상대적으로 커져 있음을 주목하라. 임플란트 성형술을 동반한 근단 변위 판막술은 성공적이었고, 골소실의 진행이 중단되었으나, 전치부에서는 "비심미적"인 것으로 간주된다.

6. 재생 치료: 전층 판막을 통한 접근

임플란트 주위에 재생을 시도하기로 결정한 경우, 두 가지 판막 접근법, 즉 전체 크기의 전통적인(큰) 판막 형성술 또는 비디오 내시경을 이용한 최소 침습적 접근이 이용될 수 있다. 발표된 대부분의 연구에서는 비교적 큰 판막 접근 방식을 사용했다. 이것은 시야 확보에 도움이 되며 다양한 약제 및 차폐막을 적용할 수 있게 한다. 일반적으로 임플란트는 협측 및 설측 모두에서 15-20 mm 이상의 판막을 형성하여 노출시킨다(그림 11-7). 육아조직을 제거한 후, 골 평가를 시행한다. 임플란트는 일반적으로 다양한 기구 및 약제로 세척된다. 흔히 사용되는 기기는 초음파 스케일러, 플라스틱 또는 금속 스케일러, 실리카를 사용한 에어 폴리싱(air polishing) 또는 글리신 파우더를 사용한 에어 폴리싱이다. 사용되는 약제로는 클로르헥시딘, 과산화수소, 시트르산 또는 테트라 사이클린 페이스트가 있다. 모든 약제 및 기구는 임플란트 표면의 "오염 제거" 목적으로 사용된다. 여러 연구에 따르면 다양한 접근 방식으로 세균 없는 표면을 얻을 수 있다[4]. 오염 제거 후, 다양한 골 이식 재료가 임플란트와 접촉하여 적용된다(그림 11-8). 골은 법랑 기질 유도체(enamel matrix derivatives; Emdogain-Straumann), 골 형성 단백질(bone morphogenetic protein; Infuse-Medtronic) 또는 재조합 혈소판 유래 성장 인자(recombinant platelet-derived growth factor; Gem 21-Lynch Biologics)와 같은 생물학적 물질과 혼합되어 골 재생을 자극할 수 있다. 골을 차폐막으로 덮어 골 이식편을 안정화 시킬 수 있다(그림 11-9). 연조직은 가능한 한 수술 전과 상태와 비슷하게 위치시켜 봉합하도록 한다(그림 11-10). 일부 보고서는 이러한 접근 방식으로 중등도의 성공을 보였다[5]. 그러나, 보고된 모든 기계적 방법 및 약제는 임플란트에서 티타늄 산화층을 제거할 수 있다. 제거 후 이 산화층의 개질(reformation)이 발생하지 않을 수 있다. 이 산화층이 없이 진정한 재 골융합이 발생할 수 있는지는 의문의 여지가 있다.

그림 11-7 임플란트 주위 골손상 부위의 재생을 위한 전통적인(전층 판막) 접근. 큰 판막이 임플란트 근원심, 그리고 근단 방향으로 확장되어 있음을 주목하라.

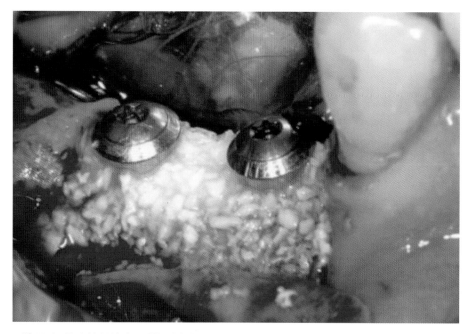

그림 11-8 골 소실 부위의 오염을 제거하고, 임플란트 표면을 소독한 후 재생 재료(이 경우 DFDBA 및 법랑기질 유도체)가 임플란트 주위에 적용되었다.

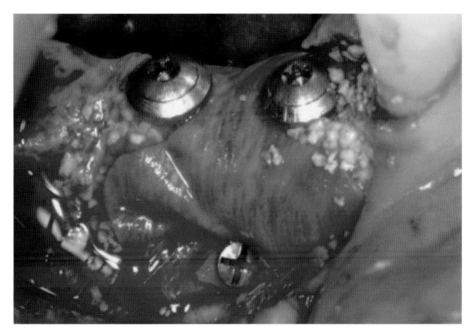

그림 11-9 골 이식편을 안정화시키고 재생 물질을 덮기 위해 콜라겐 차폐막이 적용되었다. 차폐막은
임플란트 주위에 적용되었으며 나사로 근단 측에 고정되었다.

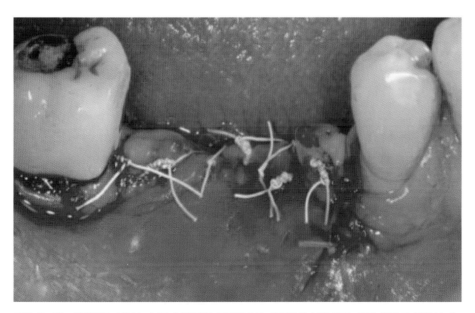

그림 11-10 임플란트 성형술과 함께 판막은 치관쪽으로 위치하여 봉합한다. 치관 쪽으로 위치시키는
이유는 재생 물질(골 이식편 및 차폐막)을 덮어주고 점막 조직을 술 전 상태로 유지시키도록 하여 심미
적이고 불편감이 적도록 하기 위함이다.

7. 재생 치료: 비디오 내시경(videoscope)을 이용한 최소 침습 접근법

치주 수술(비디오 내시경을 이용한 최소 침습 수술 또는 VMIS)에 사용하도록 설계된 치과용 비디오 내시경이 등장하면서(그림 11-11) 치아와 임플란트 주위 골 소실은 과거보다 훨씬 작은 절개법을 통해 접근 할 수 있다. 이 접근법을 사용하여 자연치 주위 재생에서 우수한 결과가 보고되었다[6]. 이러한 긍정적인 결과는 부분적으로 골과 연조직에 혈류 공급을 유지하는 데 기인한다. 이론적으로 임플란트 주위에 작은 절개를 적용하면 최소 침습적 재생 치아 치료와 동일한 이점을 얻을 수 있다. VMIS 접근법을 사용하여 임플란트 주위염을 치료할 때는 골 소실 부위에만 4-6 mm의 작은 판막을 만든다(그림 11-12). 조직은 부분층 판막을 형성하여 비디오 내시경의 일부인 작은 견인기가 수술 부위에 삽입될 수 있도록 한다. 이것은 큰 절개없이 골 소실 부위를 잘 보여줄 수 있다(그림 11-13). 이때 일반적으로

그림 11-11 비디오 내시경에 사용되는 치과용 비디오 내시경(MicroSight, Q-Optics)은 자연치와 임플란트의 최소 침습적 수술을 지원한다.

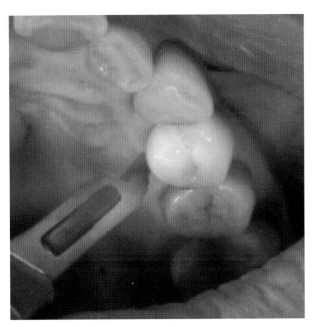

그림 11-12 골 소실 부위의 임플란트 주위에 열구 내 절개를 한다.
부분층 절개가 인접한 치아의 선각까지 확장된다.

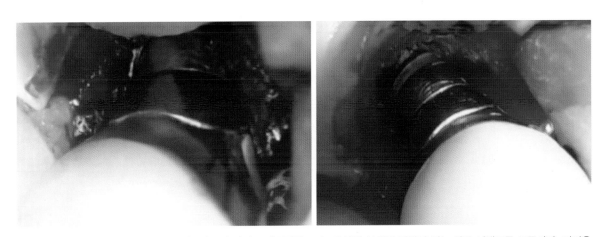

그림 11-13 (a) 그림 11-12에 표시된 임플란트의 비디오 내시경의 모습. 오른쪽 보철물 변연에 있는 잔존 시멘트를 주목하라. 이것은
손 기구로 제거된다. 초음파 기기는 피한다. (b) 시멘트 및 육아 조직 제거 후 임플란트의 모습. 구개 측의 임플란트 주위 골 소실에
주목하라.

1 - 1.5 mm 두께의 얇은 조직 부분을 제거하는 것이 좋다(그림 11-14). 이것은 연

조직에 묻어있을 수 있는 티타늄 부식 입자 또는 시멘트 입자를 제거하기 위한 것

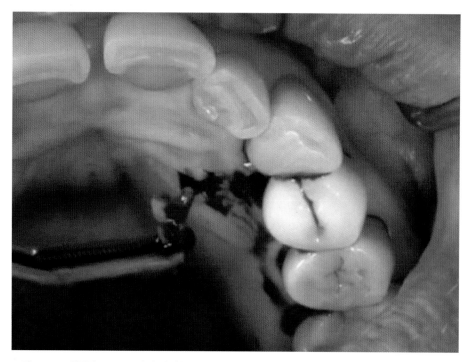

그림 11-14 임플란트 골 소실에 인접한 조직이 얇게 제거된다. 이 조직에는 일반적으로 염증 세포로 둘러싸인 시멘트 또는 티타늄 입자와 같은 이물질이 포함되어 있다.

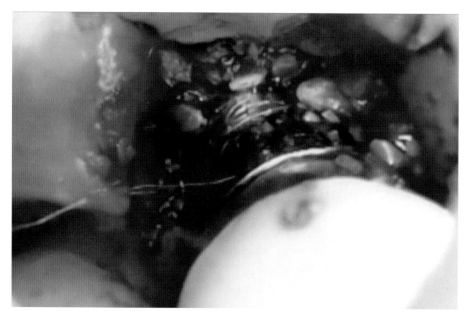

그림 11-15 법랑 기질 유도체(Emdogain, Straumann USA)와 혼합된 동종 동결 건조골을 임플란트 주위 골 소실 부위에 적용하고, 치간 유두 부위를 단순 수직 매트리스법으로 봉합하였다.

이다. 이러한 방식으로, "신선한" 조직 변연이 골 이식편 및 임플란트 위에 놓인다. 제거된 조직의 섹션은 염증 세포에 의해 둘러싸인 시멘트 또는 티타늄과 같은 이물질의 미세한 단편을 함유한다. 이 물질들은 염증의 중심이며 재생 치료의 실패에 기여 요인으로 작용할 수 있다. 노출된 거친 임플란트 표면에는 어떠한 종류의 스케일링이나 약물을 적용하지 않는다. 그 대신에 육아 조직을 조심스럽게 제거한 후, 노출된 거친 임플란트 표면을 멸균 식염수 용액에 적신 거즈로 부드럽게 닦아낸다(그림 11-15). 이것은 세균을 충분히 제거하면서도 산성 약제보다 산화 티타늄 층에 대한 손상이 적은 것으로 나타났다[7]. 골 결손부에는 보통 법랑 기질 유도체와 혼합된 동종 동결건조골을 적용한다(그림 11-15). 동종골을 사용할 수 없으면 이종골을 사용할 수 있다. 이 최소 침습적 접근법으로, 연조직의 구조적 완전성으로 혈류 공급이 유지되면서 골 이식편을 안정화 시키므로 차폐막이 필요하지 않다. 비디오 내시경을 이용한 최소 침습적 접근법은 임플란트 주위 골 재생을 위해 선호되는 방법이다.

8. 실패한 임플란트를 어떻게 치료해야 하는가?

임상의가 직면하게 되는 기본적인 질문은 최종적으로 상실하게 될, 골 소실을 보이는 임플란트를 가능한 한 오랫동안 유지할 것인지 아니면 골을 재생시키고 재 골융합을 시도하기 위해 외과적 치료를 수행할 것인지 여부이다. 잔존 시멘트를 제거하는 것을 제외하고는 현재 보편적으로 받아들여지는 정답은 없다. 잔존 시멘트를 제거하면 종종 임플란트 주위의 골소실을 막거나 역으로 생성되는 것이 관찰되며 이것은 수술을 통해서 가장 잘 이루어진다고 알려져 있다. 잔존 시멘트의 진단과 치료는 적극적으로 하는 것이 좋다. 임플란트 성형술 유무에 관계없이 임플란트의 외과적 노출은 비교적 예측 가능하지만, 비심미적이며 양치질하기 어려운 결과를 가져올 수도 있음을 환자에게 충분히 고지하여야 한다. 소실된 골의 재생 및 재 골융합이 일어나는지는 아직 예후가 불명확하고, 적절한 경우에 환자에게 부정적인 결과에 대하여 충분히 고지하고 시행하여야 한다.

9. 티타늄 산화층(Titanium Oxide Layer): 자발적으로 개질(reform)되는가?

재생적 수술법에서 임플란트의 티타늄 산화물 층의 중요성이 언급되었다. 골융합에 티타늄 산화층의 존재가 필요한 것으로 보인다[8]. 기계적 또는 화학적 처리로 임플란트 표면을 세심하게 세척하면 티타늄 산화층이 제거된다[7]. 산화층이 임상 상황에서 자발적으로 개질되는지는 아직 명확하지 않다. 생체 외(실험실) 조건에서 티타늄 합금이 산소에 노출되는 경우 티타늄 산화층이 형성된다. 임상 상황에서 임플란트가 세척된 다음 대기 중 산소 또는 물에 노출 될 때 분명히 산화층이 생성될 수는 있다. 그러나, 임상적으로 치료 중에 티타늄 산화층이 자발적으로 생성(재 부동화피막) 되는지에 대해서는 의문이다. 이 부분에 대해서는 현재 계속 연구가 진행되고 있다. 임상적 치료 술식으로 티타늄 산화층이 개질되지 않을 것이라고 생각된다면, 임플란트 상에 여전히 존재하는 티타늄 산화물 층을 유지하기 위해 많은 노력이 이루어져야 한다. 이 질문은 임플란트의 "오염 제거"를 위해 일부 임상가들이 권장하는 다양하고 비교적 가혹한 방법이 권장되는지 또는 임플란트를 매우 부드럽게 다루어야 하는지 결정하는 데 있어 중요한 질문이다. 저자들은 남아있는 티타늄 산화층을 최대한 유지해야 한다고 생각한다. 이를 바탕으로 현재 임플란트 표면을 기계적으로, 또는 초음파 기기로 오염물을 제거하는 것(debridement)과 강력한 소독 용액(예: 시트르산 및 테트라 사이클린)을 사용하는 것을 권장하지 않는다. 이 질문에 대답하려면 시간과 더 많은 연구가 필요하다.

10. 요약

골 소실이 발생하면 향상된 치료가 필요하다. 오염제거(debridement) 및 항생제를 여러 차례의 시도하는 "보존적"치료는 효과가 없는 것으로 나타났다. 외과적 치료를 위해서는 재생적 접근을 할지 비재생적 접근을 할지 결정해야 한다.

Reference

1. Wilson TG Jr. The positive relationship between excess cement and peri-implant disease: a prospective clinical endoscopic study. J Periodontol. 2009;80:1388–92.

2. Wilson TG Jr, Valderrama P, Burbano M, et al. Foreign bodies associated with peri-implantitis human biopsies. J Periodontol. 2015;86:9–15.

3. Ramanauskaite A, Daugela P, Faria de Almeida R, Saulacic N. Surgical non-regenerative treatments for peri-implantitis: a systematic review. J Oral Maxillofac Res. 2016;7(3):e14. https:// doi.org/10.5037/jomr.2016.7314.

4. Suarez F, Monje A, Galindo-Moreno P, Wang HL. Implant surface detoxification: a comprehensive review. Implant Dent. 2013 Oct;22(5):465–73. https://doi.org/10.1097/ ID.0b013e3182a2b8f4.

5. Froum SJ, Froum SH, Rosen PS. A regenerative approach to the successful treatment of peri-implantitis: a consecutive series of 170 implants in 100 patients with 2- to 10-year follow-up. Int J Periodontics Restorative Dent. 2015;35(6):857–63. https://doi.org/10.11607/prd.2571.

6. Harrel SK, Nunn ME, Abraham CM, Rivera-Hidalgo F, Shulman JD, Tunnell JC. Videoscope Assisted Minimally Invasive Surgery (VMIS): 36-Month Results. J

Periodontol. 2017;527–35.

7. Wheelis SE, Gindri IM, Valderrama P, Wilson TG Jr, Huang J, Rodrigues DC. Effects of decontamination solutions on the surface of titanium: investigation of surface morphology, composition, and roughness. Clin Oral Implants Res. 2016;27:329–40.

8. Sul Y. On the bone response to oxidized titanium implants: the role of microporous structure and chemical composition of the surface oxide in enhanced osseointegration. Doctoral Thesis. Göteborg: University of Gothenburg; 2002.

CHAPTER

미래의 발전 방향

12

12 미래의 발전 방향

Stephen Harrel / S. Harrel / Texas A&M College of Dentistry, Dallas, TX, USA

> **핵심 정리**
>
> - 오늘날 티타늄 임플란트 표면의 개선을 통해 임플란트의 단기적 개선은 가능할 것이다.
> - 세라믹 임플란트에 대한 연구들이 진행 중이지만, 과거 세라믹 임플란트들의 파절에 관한 보고들을 보았을 때, 향후 임플란트의 발전방향이 세라믹 임플란트 쪽으로 향할 지는 의심스럽다.
> - "골유착"의 정확한 원리가 명확해질 때까지는 임플란트 주위염의 예방 및 치료가 예측가능하기는 어려울 것이다.
> - 장기적으로는 임플란트는 "생물학적"임플란트로 개선될 것이다.

1. 단기적 개선

단기적으로는 우리는 현재 일상적으로 사용되는 임플란트와 유사한 티타늄 임플란트가 지속적으로 개선되는 것을 볼 것이다. 이것은 뼈와 골유착될 수 있도록 표면을 다양하게 변형시킨 티타늄 스크류 형태의 임플란트가 여전히 가장 흔히 사용될 것임을 의미한다. 임플란트는 디자인에서 큰 변화가 일어나기보다는 점진적으로 개선될 것이다. 이러한 점진적 개선은 더 빠른 골유착과 보철물을 더 빨리 로딩할 수 있는 능력을 목표로 하여 임플란트 표면을 변형시키는 것이 될 수 있다. 현재 논의되고있는 변화는 일반적으로 항균 물질과 같은 것들로 표면을 코팅

하거나, 레이저 에칭같은 방법을 통해 표면을 거칠게 하는 것 등이다. 최근의 종설 문헌에서는 현재 연구되고 있는 임플란트 표면 개선 방법들을 보고하였다[1].

2. 골유착 실패의 원인 분석의 필요성

현재 연구 중인 임플란트 표면의 개선은 의심할 여지없이 임플란트의 기능성과 사용 편의성을 향상시킬 것이지만, 골유착 실패의 실제 메커니즘이 명확하게 규명될 때까지는 임플란트의 실패는 지속적으로 발생할 것이다. 현재 골유착의 본질에 대해선 논란의 여지가 남아있다. Branemark 등은 임플란트와 골 표면 사이에 기계적 잠금(mechanical lock)이 있음을 느꼈다[2]. 보다 최근에 고려되고있는 이론은 골유착이 foreign body response의 일종이라는 것으로 골이 임플란트에 대항해서 벽을 쌓는다는 것이다[3]. 골유착의 원리가 명확히 밝혀질 때까지는 임플란트의 실패를 예방하거나 치료하는 데 있어서 현저한 개선이 있을 것 같지는 않다. 티타늄 임플란트 표면의 부식으로 인해 foreign body response의 밸런스가 깨어지고, 그것이 임플란트 주위염의 기시와 관련이 있다는 보고도 있다. 이러한 메커니즘이 입증되지는 않았지만 티타늄이 임플란트의 이상적인 재료가 아닐 수도 있다는 의문들이 커지고 있다.

3. 장기적 개선

미래에는 치과용 임플란트가 티타늄 이외의 재료로 제작될 것이라는 데는 의문의 여지가 거의 없다. 지르코늄으로 제작 된 임플란트에 대해서도 보고되고 있다. 역사적으로, 유리질 탄소 및 하이드록시 아파타이트와 같은 세라믹 표면을 가진 임플란트는 골에 잘 유지되며 임상적으로 빠르게 안정된다고 보고되어 왔다[4].

그러나 현재까지 모든 유형의 세라믹 임플란트는 파절로 인한 기계적 합병증의 발생률이 높았다. 상세하게 연구되지는 않았지만, 지르코늄 임플란트는 이와 동일한 실패를 보일 수 있다. 저자들은 세라믹이 미래의 임플란트의 재료가 될 지는 의문이라고 생각한다.

환자 자신의 줄기 세포를 이용하여 실험실에서 새로운 치아를 키워내는 것이 종종 상실치를 수복하기 위한 장기적인 해답으로 여겨지고 있다. 그러나, 이러한 접근법을 임상적으로 실행 가능한 옵션으로 만들기 위해서는 기계적 안정성이나 생체 적합성 같은 많은 요소들을 극복해야 한다. 인간의 치아는 실험실에서 재생산하기가 매우 어려운 형태로, 내부 혈액 공급에 의해 영양을 공급받는 다중 조직으로 구성되어 있다. 이러한 문제 외에도 인간 치아는 해부학적으로 전치부터 대구치에 이르기까지 매우 다양한 복잡한 형태를 가지고 있다. 미래에 치아가 상실된 영역에 상실된 치아와 유사한 형태의 치아 싹을 심을 수 있는 가능성은 있겠지만, 현재의 기술은 이 목표에서 요원해 보인다.

저자의 견해로는, 아마도 중간 단계의 "생물학적" 임플란트는 인공 scaffold일 것이며, 환자의 특정 해부학적 구조적 요구에 맞게 출력될 수 있으며, 환자의 일부 세포 구조는 실험실에서 재배될 것이다. 그런 다음 그 임플란트는 오늘날의 티타늄 임플란트와 유사하게 환자의 골에 형성된 자리에 삽입되지만, 식립된 임플란트와 뼈 사이의 결합은 생물학적 결합이 될 것이다. 이 방법은 현재로서는 상상일 뿐이지만, 구조적 무결성을 갖춘 "생물학적"임플란트는 달성 가능성이 있어 보인다. 가까운 미래에 티타늄 임플란트를 넘어 생물학적 기반 임플란트로 옮겨갈 수 있기를 희망한다. 오늘날의 완벽하지는 않지만 기능성이 뛰어난 티타늄 임플란트가 60년 전에는 달성할 수 없는 꿈으로 여겨졌듯이, 임플란트의 다음 발전 형태는 오늘날 예측하기는 어렵다. 그럼에도 불구하고 근본적으로 새로운 접근법이 탄생할 것이라는 데에 있어서 의문의 여지가 없으며 치의학적으로 환자에 대한 호환성과 기능성이 크게 향상 될 것이다.

4. 요약

임플란트 기술의 미래는 알 수 없다. 티타늄 표면의 개선이 아마도 단기적으로 일어날 수는 있지만, 골유착의 근본적 원리가 규명될 때까지 완전히 이상적인 임플란트 표면을 제작하기는 어려울 것이다.

Reference

1. Smeets R, Stadlinger B, Schwarz F, et al. Impact of dental implant surface modifications on osseointegration. Biomed Res Int. 2016;2016:6285620.

2. Brånemark PI, Adell R, Albrektsson T, Lekholm U, Lundkvist S, Rockler B. Osseointegrated titanium fixtures in the treatment of edentulousness. Biomaterials. 1983;4(1):25–8. https://doi. org/10.1016/0142-9612(83)90065-0.

3. Trindade R, Albrektsson T, Galli S, Prgomet Z, Tengvall P, Wennerberg A. Osseointegration and foreign body reaction: titanium implants activate the immune system and suppress bone resorption during the first 4 weeks after implantation. Clin Implant Dent Relat Res. 2018;20(1):82– 91. https://doi.org/10.1111/cid.12578.

4. Morris HF, Ochi S. The influence of implant design, application, and site on clinical performance and crestal bone: a multicenter, multidisciplinary clinical study. Implant Dent. 1992;1(1):49–55.